AtV

Theodor Fontane wurde am 30. Dezember 1819 im märkischen Neuruppin geboren. Nach Lehre und Staatsexamen Approbation als »Apotheker erster Klasse«. 1849 gab Fontane den Beruf auf und etablierte sich als Journalist und freier Schriftsteller. 1850 Heirat mit Emilie Rouanet-Kummer. Mitglied des literarischen Vereins »Tunnel über der Spree«. 1855-1858 London-Aufenthalt, u. a. als »Presseagent« des preußischen Gesandten. Zwischen 1862 und 1882 erschienen die »Wanderungen durch die Mark Brandenburg«. Neben seiner umfangreichen Tätigkeit als Lyriker, Kriegsberichterstatter und Reiseschriftsteller war Fontane zwei Jahrzehnte Theaterkritiker der »Vossischen Zeitung«. In seinem 60. Lebensjahr trat er als Romancier an die Öffentlichkeit. Dem ersten Roman »Vor dem Sturm« (1878) folgten in kurzen Abständen seine berühmt gewordenen Romane und Erzählungen sowie die beiden Erinnerungsbücher »Meine Kinderjahre« und »Von Zwanzig bis Dreißig«. Fontane starb am 20. September 1898 in Berlin.

Nach den »Berliner Frauenromanen« (Aufbau Taschenbuch Verlag 1995) erschließen die fünf Bände »Kriminal- und andere Fälle« einen weiteren charakteristischen Bereich Fontanescher Erzählkunst.

Abel Hradschek, Gastwirt eines Oderbruchdorfes, ist ins Gerede gekommen, seit der Reisende einer Krakauer Weinfirma verschwunden ist. Doch nichts ist schwankender als die öffentliche Meinung, und während die einen schon von einer Hinrichtung träumen, schmähen die anderen das Gericht, das ohne Not einen Ehrenmann belangt. Alles wird beredet und beklatscht, jede Andeutung kann eine Entlarvung und jedes Phantasiegebilde der Racheengel sein. Über den plötzlichen Tod seiner Frau hilft sich Abel durch gelegentliche Besuche im amüsablen Berlin hinweg. Die von dort mitgebrachten neuesten Witze und zweideutigen Liedchen gibt er unter dem Jubel der Stammtischrunde zum besten. Doch die da jauchzen und toben und den Wirt hochleben lassen, müssen bald schon erfahren, daß das Spiel einen doppelten Boden hat und die Leiche im Keller nicht nur eine Redensart ist.

Theodor Fontane

Unterm Birnbaum

Aufbau Taschenbuch Verlag

Textgrundlage:
Theodor Fontane, Romane und Erzählungen in acht Bänden.
4. Auflage, Aufbau-Verlag, Berlin 1993, Band 4,
Bearbeiter: Jürgen Jahn

Nachwort für diese Ausgabe: Christine Hehle

ISBN 3-7466-5274-X

1. Auflage 1996

Umschlaggestaltung Torsten Lemme
unter Verwendung eines Fotos von August Sander,
»Großhandelskaufmann und seine Frau«, Köln 1927

Satz LVD GmbH, Berlin
Druck und Binden Clausen & Bosse, Leck
Printed in Germany

Erstes Kapitel

Vor dem in dem großen und reichen Oderbruchdorfe Tschechin um Michaeli 20 eröffneten *Gasthaus und Materialwarengeschäft von Abel Hradscheck* (so stand auf einem über der Tür angebrachten Schilde) wurden Säcke, vom Hausflur her, auf einen mit zwei magern Schimmeln bespannten Bauerwagen geladen. Einige von den Säcken waren nicht gut gebunden oder hatten kleine Löcher und Ritzen, und so sah man denn an dem, was herausfiel, daß es Rapssäcke waren. Auf der Straße neben dem Wagen aber stand Abel Hradscheck selbst und sagte zu dem eben vom Rad her auf die Deichsel steigenden Knecht: »Und nun vorwärts, Jakob, und grüße mir Ölmüller Quaas. Und sag ihm, bis Ende der Woche müßt ich das Öl haben, Leist in Wrietzen warte schon. Und wenn Quaas nicht da ist, so bestelle der Frau meinen Gruß und sei hübsch manierlich. Du weißt ja Bescheid. Und weißt auch, Kätzchen hält auf Komplimente.«

Der als Jakob Angeredete nickte nur statt aller Antwort, setzte sich auf den vordersten Rapssack und trieb beide Schimmel mit einem schläfrigen »Hüh« an, wenn überhaupt von Antreiben die Rede sein konnte. Und nun klapperte der Wagen nach rechts hin den Fahrweg hinunter, erst auf das Bauer Orthsche Gehöft samt seiner Windmühle (womit das Dorf nach der Frankfurter Seite hin abschloß) und dann auf die weiter draußen am Oderbruch-Damm gelegene Ölmühle zu. Hradscheck sah dem Wagen nach, bis er verschwunden war, und trat nun erst in den Hausflur zurück. Dieser war breit und tief und teilte sich in zwei Hälften, die durch ein paar Holzsäulen und zwei dazwischen ausgespannte Hängematten voneinander getrennt waren. Nur in der Mitte hatte man einen Durchgang gelassen. An dem Vorflur lag nach rechts hin das Wohnzimmer, zu dem eine Stufe hinaufführte, nach links hin aber der Laden, in den man durch ein großes, fast die halbe Wand einnehmendes Schiebefenster hineinsehen konnte. Früher war hier die Verkaufsstelle gewesen, bis sich die zum Vornehmtun geneigte Frau Hradscheck das Herumtrampeln auf ihrem Flur verbeten und auf Durchbruch einer richtigen Ladentür, also von der Straße her, gedrungen hatte. Seitdem zeigte dieser Vorflur eine gewisse Herrschaftlichkeit, während der nach dem Garten hinausführende Hinterflur ganz dem Geschäft gehörte. Säcke, Zitronen- und Apfelsinenkisten standen hier an der einen Wand entlang, während an der andern übereinandergeschichtete Fässer lagen, Ölfässer, deren stattliche Reihe nur durch eine zum Keller hinunterführende Falltür unterbrochen war. Ein sorglich vorgelegter Keil hielt nach rechts und links hin die Fässer in Ordnung, so daß die untere Reihe durch den Druck der obenaufliegenden nicht ins Rollen kommen konnte.

So war der Flur. Hradscheck selbst aber, der eben die schmale, zwischen den Kisten und Ölfässern frei gelassene Gasse passierte, schloß, halb ärgerlich, halb lachend, die trotz seines Verbotes mal wieder offenstehende Falltür und sagte: »Dieser Junge, der Ede. Wann wird er seine fünf Sinne beisammen haben!«

Und damit trat er vom Flur her in den Garten.

Hier war es schon herbstlich, nur noch Astern und Reseda blühten zwischen den Buchsbaumrabatten, und eine Hummel umsummte den Stamm eines alten Birnbaums, der mitten im Garten hart neben dem breiten Mittelsteige stand. Ein paar Möhrenbeete, die sich, samt einem schmalen, mit Kartoffeln besetzten Ackerstreifen, an eben dieser Stelle durch eine Spargelanlage hinzogen, waren schon wieder umgegraben, eine frische Luft ging, und eine schwarzgelbe, der nebenanwohnenden Witwe Jeschke zugehörige Katze schlich, mutmaßlich auf der Sperlingssuche, durch die schon hoch in Samen stehenden Spargelbeete.

Hradscheck aber hatte dessen nicht acht. Er ging vielmehr rechnend und wägend zwischen den Rabatten hin und kam erst zu Betrachtung und Bewußtsein, als er, am Ende des Gartens angekommen, sich umsah und nun die Rückseite seines Hauses vor sich hatte. Da lag es, sauber und freundlich, links die sich von der Straße her bis in den Garten hineinziehende Kegelbahn, rechts der Hof samt dem Küchenhaus, das er erst neuerdings an den Laden angebaut hatte. Der kaum vom Winde bewegte Rauch stieg sonnenbeschienen auf und gab ein Bild von Glück und Frieden. Und das alles war sein! Aber wie lange noch? Er sann ängstlich nach und fuhr aus seinem Sinnen erst auf, als er, ein paar Schritte von sich entfernt, eine große, durch ihre Schwere und Reife sich von selbst ablösende Malvasierbirne mit eigentümlich dumpfem Ton aufklatschen hörte. Denn sie war nicht auf den harten Mittelsteig, sondern auf eins der umgegrabenen Möhrenbeete gefallen. Hradscheck ging darauf zu, bückte sich und hatte die Birne kaum aufgehoben, als er sich von der Seite her angerufen hörte:

»Dag, Hradscheck. Joa, et wahrd nu Tied. De Malvesieren kümmen all von süлwst.«

Er wandte sich bei diesem Anruf und sah, daß seine Nachbarin, die Jeschke, deren kleines, etwas zurückgebautes Haus den Blick auf seinen Garten hatte, von drüben her über den Himbeerzaun kuckte.

»Ja, Mutter Jeschke, 's wird Zeit«, sagte Hradscheck. »Aber wer soll die Birnen abnehmen? Freilich wenn Ihre Line hier wäre, die könnte helfen. Aber man hat ja keinen Menschen und muß alles selbst machen.«

»Na, Se hebben joa doch den Jungen, den Ede.«

»Ja, den hab ich. Aber der pflückt bloß für sich.«

»Dat sall woll sien«, lachte die Alte. »Een in 't Töppken, een in 't Kröppken.«

Und damit humpelte sie wieder nach ihrem Hause zurück, während auch Hradscheck wieder vom Garten her in den Flur trat.

Hier sah er jetzt nachdenklich auf die Stelle, wo vor einer

halben Stunde noch die Rapssäcke gestanden hatten, und in seinem Auge lag etwas, als wünsch er, sie stünden noch am selben Fleck oder es wären neue statt ihrer aus dem Boden gewachsen. Er zählte dann die Fässerreihe, rief, im Vorübergehen, einen kurzen Befehl in den Laden hinein und trat gleich danach in seine gegenübergelegene Wohnstube.

Diese machte neben ihrem wohnlichen zugleich einen eigentümlichen Eindruck, und zwar, weil alles in ihr um vieles besser und eleganter war, als sich's für einen Krämer und Dorfmaterialisten schickte. Die zwei kleinen Sofas waren mit einem hellblauen Atlasstoff bezogen, und an dem Spiegelpfeiler stand ein schmaler Trumeau, weißlackiert und mit Goldleiste. Ja, das in einem Mahagonirahmen über dem kleinen Klavier hängende Bild (allem Anscheine nach ein Stich nach Claude Lorrain) war ein Sonnenuntergang mit Tempeltrümmern und antiker Staffage, so daß man sich füglich fragen durfte, wie das alles hierherkomme. Passend war eigentlich nur ein Stehpult mit einem Gitteraufsatz und einem Kuckloch darüber, mit Hilfe dessen man, über den Flur weg, auf das große Schiebefenster sehen konnte.

Hradscheck legte die Birne vor sich hin und blätterte das Kontobuch durch, das aufgeschlagen auf dem Pulte lag. Um ihn her war alles still, und nur aus der halb offenstehenden Hinterstube vernahm er den Schlag einer Schwarzwälder Uhr.

Es war fast, als ob das Ticktack ihn störe, wenigstens ging er auf die Tür zu, anscheinend, um sie zu schließen; als er indes hineinsah, nahm er überrascht wahr, daß seine Frau in der Hinterstube saß, wie gewöhnlich schwarz, aber sorglich gekleidet, ganz wie jemand, der sich auf Figurmachen und Toilettendinge versteht. Sie flocht eifrig an einem Kranz, während ein zweiter, schon fertiger an einer Stuhllehne hing.

»Du hier, Ursel! Und Kränze! Wer hat denn Geburtstag?«

»Niemand. Es ist nicht Geburtstag. Es ist bloß Sterbetag,

Sterbetag deiner Kinder. Aber du vergißt alles. Bloß dich nicht.«

»Ach, Ursel, laß doch. Ich habe meinen Kopf voll Wunder. Du mußt mir nicht Vorwürfe machen. Und dann die Kinder. Nun ja, sie sind tot, aber ich kann nicht trauern und klagen, daß sie's sind. Umgekehrt, es ist ein Glück.«

»Ich verstehe dich nicht.«

»Und ist nur zu gut zu verstehn. Ich weiß nicht aus noch ein und habe Sorgen über Sorgen.«

»Worüber? Weil du nichts Rechtes zu tun hast und nicht weißt, wie du den Tag hinbringen sollst. Hinbringen, sag ich, denn ich will dich nicht kränken und von Zeit totschlagen sprechen. Aber sage selbst, wenn drüben die Weinstube voll ist, dann fehlt dir nichts. Ach, das verdammte Spiel, das ewige Knöcheln und Tempeln. Und wenn du noch glücklich spieltest! Ja, Hradscheck, das muß ich dir sagen, wenn du spielen willst, so spiele wenigstens glücklich. Aber ein Wirt, der *nicht* glücklich spielt, muß davonbleiben, sonst spielt er sich von Haus und Hof. Und dazu das Trinken, immer der schwere Ungar, bis in die Nacht hinein.«

Er antwortete nicht, und erst nach einer Weile nahm er den Kranz, der über der Stuhllehne hing, und sagte: »Hübsch. Alles, was du machst, hat Schick. Ach, Ursel, ich wollte, du hättest bessere Tage.«

Dabei trat er freundlich an sie heran und streichelte sie mit seiner weißen, fleischigen Hand.

Sie ließ ihn auch gewähren, und als sie, wie beschwichtigt durch seine Liebkosungen, von ihrer Arbeit aufsah, sah man, daß es ihrerzeit eine sehr schöne Frau gewesen sein mußte, ja, sie war es beinah noch. Aber man sah auch, daß sie viel erlebt hatte, Glück und Unglück, Lieb und Leid, und durch allerlei schwere Schulen gegangen war. Er und sie machten ein hübsches Paar und waren gleichaltrig, Anfang vierzig, und ihre Sprech- und Verkehrsweise ließ erkennen, daß es eine Neigung gewesen sein mußte, was sie vor länger oder kürzer zusammengeführt hatte.

Der herbe Zug, den sie bei Beginn des Gesprächs gezeigt, wich denn auch mehr und mehr, und endlich fragte sie: »Wo drückt es wieder? Eben hast du den Raps weggeschickt, und wenn Leist das Öl hat, hast du das Geld. Er ist prompt auf die Minute.«

»Ja, das ist er. Aber ich habe nichts davon, alles ist bloß Abschlag und Zins. Ich stecke tief drin und leider am tiefsten bei Leist selbst. Und dann kommt die Krakauer Geschichte, der Reisende von Olszewski-Goldschmidt und Sohn. Er kann jeden Tag dasein.«

Hradscheck zählte noch anderes auf, aber ohne daß es einen tieferen Eindruck auf seine Frau gemacht hätte. Vielmehr sagte sie langsam und mit gedehnter Stimme: »Ja, Würfelspiel und Vogelstellen ...«

»Ach, immer Spiel und wieder Spiel! Glaube mir, Ursel, es ist nicht so schlimm damit, und jedenfalls mach ich mir nichts draus. Und am wenigsten aus dem Lotto; 's ist alles Torheit und weggeworfen Geld, ich weiß es, und doch hab ich wieder ein Los genommen. Und warum? Weil ich heraus will, weil ich heraus *muß*, weil ich uns retten möchte.«

»So, so«, sagte sie, während sie mechanisch an dem Kranze weiterflocht und vor sich hin sah, als überlege sie, was wohl zu tun sei.

»Soll ich dich auf den Kirchhof begleiten?« frug er, als ihn ihr Schweigen zu bedrücken anfing. »Ich tu's gern, Ursel.«

Sie schüttelte den Kopf.

»Warum nicht?«

»Weil, wer den Toten einen Kranz bringen will, wenigstens an sie gedacht haben muß.«

Und damit erhob sie sich und verließ das Haus, um nach dem Kirchhof zu gehen.

Hradscheck sah ihr nach, die Dorfstraße hinauf, auf deren roten Dächern die Herbstsonne flimmerte. Dann trat er wieder an sein Pult und blätterte.

Zweites Kapitel

Eine Woche war seit jenem Tage vergangen, aber das Spielglück, das sich bei Hradscheck einstellen sollte, blieb aus und das Lottoglück auch. Trotz alledem gab er das Warten nicht auf, und da gerade Lotterie-Ziehzeit war, kam das Viertellos gar nicht mehr von seinem Pult. Es stand hier auf einem Ständerchen, ganz nach Art eines Fetisch, zu dem er nicht müde wurde respektvoll und beinah mit Andacht aufzublicken. Alle Morgen sah er in der Zeitung die Gewinn-Nummern durch, aber die seine fand er nicht, trotzdem sie unter ihren fünf Zahlen drei Sieben hatte und mit sieben dividiert glatt aufging. Seine Frau, die wohl wahrnahm, daß er litt, sprach ihm nach ihrer Art zu, nüchtern, aber nicht unfreundlich, und drang in ihn, »daß er den Lotteriezettel wenigstens vom Ständer herunternehmen möge, das verdrösse den Himmel nur, und wer dergleichen täte, kriege statt Rettung und Hilfe den Teufel und seine Sippschaft ins Haus. Das Los müsse weg. Wenn er wirklich beten wolle, so habe sie was Besseres für ihn, ein Marienbild, das der Bischof von Hildesheim geweiht und ihr bei der Firmelung geschenkt habe.«

Davon wollte nun aber der beständig zwischen Aber- und Unglauben hin und her schwankende Hradscheck nichts wissen. »Geh mir doch mit dem Bild, Ursel. Und wenn ich auch wollte, denke nur, welche Bescherung ich hätte, wenn's einer merkte. Die Bauern würden lachen von einem Dorfende bis ans andere, selbst Orth und Igel, die sonst keine Miene verziehen. Und mit der Pastor-Freundschaft wär's auch vorbei. Daß er zu dir hält, ist doch bloß, weil er dir den katholischen Unsinn ausgetrieben und einen Platz im Himmel, ja vielleicht an seiner Seite, gewonnen hat. Denn mit meinem Anspruch auf Himmel ist's nicht weit her.«

Und so blieb denn das Los auf dem Ständer, und erst als die Ziehung vorüber war, zerriß es Hradscheck und streute die Schnitzel in den Wind. Er war aber auch jetzt noch, all seinem spöttisch-überlegenen Gerede zum Trotz, so schwach und abergläubisch, daß er den Schnitzeln in ihrem Fluge nachsah, und als er wahrnahm, daß einige die Straße hinauf bis an die Kirche geweht wurden und dort erst niederfielen, war er in seinem Gemüte beruhigt und sagte: »Das bringt Glück.«

Zugleich hing er wieder allerlei Gedanken und Vorstellungen nach, wie sie seiner Phantasie jetzt häufiger kamen. Aber er hatte noch Kraft genug, das Netz, das ihm diese Gedanken und Vorstellungen überwerfen wollten, wieder zu zerreißen.

»Es geht nicht.«

Und als im selben Augenblick das Bild des Reisenden, dessen Anmeldung er jetzt täglich erwarten mußte, vor seine Seele trat, trat er erschreckt zurück und wiederholte nur so vor sich hin: »Es geht nicht.«

So war Mitte Oktober herangekommen.

Im Laden gab's viel zu tun, aber mitunter war doch ruhige Zeit, und dann ging Hradscheck abwechselnd in den Hof, um Holz zu spellen, oder in den Garten, um eine gute Sorte Tischkartoffeln aus der Erde zu nehmen. Denn er war ein Feinschmecker. Als aber die Kartoffeln heraus waren, fing er an, den schmalen Streifen Land, darauf sie gestanden, umzugraben. Überhaupt wurde Graben und Gartenarbeit mehr und mehr seine Lust, und die mit dem Spaten in der Hand verbrachten Stunden waren eigentlich seine glücklichsten.

Und so beim Graben war er auch heute wieder, als die Jeschke, wie gewöhnlich, an die die beiden Gärten verbindende Heckentür kam und ihm zusah, trotzdem es noch früh am Tage war.

»De Tüffeln sinn joa nu rut, Hradscheck.«

»Ja, Mutter Jeschke, seit vorgestern. Und war diesmal 'ne wahre Freude; mitunter zwanzig an einem Busch und alle groß und gesund.«

»Joa, joa, wenn een's Glück hebben sall. Na, Se hebben't, Hradscheck. Se hebben Glück bi de Tüffeln un bi de Malvesieren ook. I, Se möten joa woll 'n Scheffel runnerpflückt hebb'n.«

»O mehr, Mutter Jeschke, viel mehr.«

»Na, bereden Se't nich, Hradscheck. Nei, nei. Man sall nix bereden. Ook sien Glück nich.«

Und damit ließ sie den Nachbar stehn und humpelte wieder auf ihr Haus zu.

Hradscheck aber sah ihr ärgerlich und verlegen nach. Und er hatte wohl Grund dazu. War doch die Jeschke, so freundlich und zutulich sie tat, eine schlimme Nachbarschaft und quacksalberte nicht bloß, sondern machte auch sympathetische Kuren, besprach Blut und wußte, wer sterben würde. Sie sah dann die Nacht vorher einen Sarg vor dem Sterbehause stehn. Und es hieß auch, »sie wisse, wie man sich unsichtbar machen könne«, was, als Hradscheck sie seinerzeit danach gefragt hatte, halb von ihr bestritten und dann halb auch wieder zugestanden war. »Sie wisse es nicht; aber *das* wisse sie, daß frisch ausgelassenes Lammtalg gut sei, versteht sich, von einem ungeborenen Lamm und als Licht über einen roten Wollfaden gezogen; am besten aber sei Farnkrautsamen in die Schuhe oder Stiefel geschüttet.« Und dann hatte sie herzlich gelacht, worin Hradscheck natürlich einstimmte. Trotz dieses Lachens aber war ihm jedes Wort, als ob es ein Evangelium wär, in Erinnerung geblieben, vor allem das »ungeborne Lamm« und der »Farnkrautsamen«. Er glaubte nichts davon und auch wieder alles, und wenn er, seiner sonstigen Entschlossenheit unerachtet, schon vorher eine Furcht vor der alten Hexe gehabt hatte, so nach dem Gespräch über das Sich-unsichtbar-Machen noch viel mehr.

Und solche Furcht beschlich ihn auch heute wieder, als er sie, nach dem Morgengeplauder über die »Tüffeln« und die »Malvesieren«, in ihrem Hause verschwinden sah. Er wiederholte sich jedes ihrer Worte: »Wenn een's Glück hebben sall. Na, Se hebben't joa, Hradscheck. Awers bereden Se't nich.« Ja, so waren ihre Worte gewesen. Und was war mit dem allem gemeint? Was sollte dies ewige Reden von Glück und wieder Glück? War es Neid, oder wußte sie's besser? Hatte sie doch vielleicht mit ihrem Hokuspokus ihm in die Karten gekuckt?

Während er noch so sann, nahm er den Spaten wieder zur Hand und begann rüstig weiterzugraben. Er warf dabei ziemlich viel Erde heraus und war keine fünf Schritt mehr von dem alten Birnbaum, auf den der Ackerstreifen zulief, entfernt, als er auf etwas stieß, das unter dem Schnitt des Eisens zerbrach und augenscheinlich weder Wurzel noch Stein war. Er grub also vorsichtig weiter und sah alsbald, daß er auf Arm und Schulter eines hier verscharrten Toten gestoßen war. Auch Zeugreste kamen zutage, zerschlissen und gebräunt, aber immer noch farbig und wohlerhalten genug, um erkennen zu lassen, daß es ein Soldat gewesen sein müsse.

Wie kam der hierher?

Hradscheck stützte sich auf die Krücke seines Grabscheits und überlegte. »Soll ich es zur Anzeige bringen? Nein. Es macht bloß Geklätsch. Und keiner mag einkehren, wo man einen Toten unterm Birnbaum gefunden hat. Also besser nicht. Er kann hier weiter liegen.«

Und damit warf er den Armknochen, den er ausgegraben, in die Grube zurück und schüttete diese wieder zu. Während dieses Zuschüttens aber hing er all jenen Gedanken und Vorstellungen nach, wie sie seit Wochen ihm immer häufiger kamen. Kamen und gingen. Heut aber gingen sie nicht, sondern wurden Pläne, die Besitz von ihm nahmen und ihn, ihm selbst zum Trotz, an die Stelle bannten, auf der er stand. Was er hier zu tun hatte, war getan, es gab nichts mehr zu graben und zu schütten, aber immer noch hielt er das Grabscheit in der Hand und sah sich um, als ob er bei böser Tat ertappt worden wäre. Und fast war es so. Denn unheimlich verzerrte Gestalten (und eine davon er selbst) umdrängten ihn so faßbar und leibhaftig, daß er sich wohl fragen durfte, ob nicht andere da wären, die diese Gestalten auch sähen. Und er lugte wirklich nach der Zaunstelle hinüber. Gott sei Dank, die Jeschke war nicht da. Aber freilich, wenn sie sich unsichtbar machen und sogar Tote sehen konnte, Tote, die noch nicht tot waren, warum sollte sie nicht die Gestalten sehn, die jetzt vor seiner Seele standen? Ein Grauen überlief ihn, nicht vor der Tat, nein, aber bei dem Gedanken, daß das, was erst Tat werden sollte, vielleicht in diesem Augenblicke schon erkannt und verraten war. Er zitterte, bis er, sich plötzlich aufraffend, den Spaten wieder in den Boden stieß.

»Unsinn. Ein dummes altes Weib, das gerade klug genug ist, noch Dümmere hinters Licht zu führen. Aber ich will mich ihrer schon wehren, ihrer und ihrer ganzen Totenkuckerei. Was ist es denn? Nichts. Sie sieht einen Sarg an der Tür stehn, und dann stirbt einer. Ja, sie sagt es, aber sagt es immer erst, wenn einer tot ist oder keinen Atem mehr hat oder das Wasser ihm schon ans Herz stößt. Ja, dann kann ich auch prophezein. Alte Hexe, du sollst mir nicht weiter Sorge machen. Aber Ursel! Wie bring ich's der bei? Da liegt der Stein. Und wissen muß sie's. Es müssen zwei sein …«

Und er schwieg. Bald aber fuhr er entschlossen fort: »Ah, bah, es wird sich finden, weil sich's finden muß. Not kennt kein Gebot. Und was sagte sie neulich, als ich das Gespräch mit ihr hatte? ›Nur nicht arm sein … Armut ist das schlimmste.‹ Daran halt ich sie; damit zwing ich sie. Sie *muß* wollen.«

Und so sprechend, ging er, das Grabscheit gewehrüber nehmend, wieder auf das Haus zu.

Drittes Kapitel

Als Hradscheck bis an den Schwellstein gekommen war, nahm er das Grabscheit von der Schulter, lehnte die Krücke gegen das am Hause sich hinziehende Weinspalier und wusch sich die Hände, saubrer Mann, der er war, in einem Kübel, drin die Dachtraufe mündete. Danach trat er in den Flur und ging auf sein Wohnzimmer zu.

Hier traf er Ursel. Diese saß vor einem Nähtisch am Fenster und war, trotz der frühen Stunde, schon wieder in Toilette, ja noch sorglicher und geputzter als an dem Tage, wo sie die Kränze für die Kinder geflochten hatte. Das hochanschließende Kleid, das sie trug, war auch heute schlicht und dunkelfarbig (sie wußte, daß Schwarz sie kleidete), der blanke Ledergürtel aber wurde durch eine Bronzeschnalle von auffälliger Größe zusammengehalten, während in ihren Ohrringen lange birnenförmige Bummeln von venezianischer Perlenmasse hingen. Sie wirkten anspruchsvoll und störten mehr, als sie schmückten. Aber für dergleichen gebrach es ihr an Wahrnehmung, wie denn auch der mit Schildpatt ausgelegte Nähtisch, trotz all seiner Eleganz, zu den beiden hellblauen Atlassofas nicht recht passen wollte. Noch weniger zu dem weißen Trumeau. Links neben ihr, auf dem Fensterbrett, stand ein Arbeitskästchen, darin sie, gerade als Hradscheck eintrat, nach einem Faden suchte. Sie ließ sich dabei nicht stören und sah erst auf, als der Eintretende, halb scherzhaft, aber doch mit einem Anfluge von Tadel, sagte: »Nun, Ursel, schon in Staat? Und nichts zu tun mehr in der Küche?«

»Weil es fertig werden muß.«

»Was?«

»Das hier.« Und dabei hielt sie Hradscheck ein Samtkäppsel hin, an dem sie gerade nähte. »Wenig mit Liebe.«

»Für mich?«

»Nein. Dazu bist du nicht fromm und, was du lieber hören wirst, auch nicht alt genug.«

»Also für den Pastor?«

»Geraten.«

»Für den Pastor. Nun gut. Kleine Geschenke erhalten die Freundschaft, und die Freundschaft mit einem Pastor kann man doppelt brauchen. Es gibt einem solch Ansehen.

Und ich habe mir auch vorgenommen, ihn wieder öfter zu besuchen und mit Ede sonntags umschichtig in die Kirche zu gehen.«

»Das tu nur; er hat sich schon gewundert.«

»Und hat auch recht. Denn ich bin ihm eigentlich verschuldet. Und ist noch dazu der einzige, dem ich gern verschuldet bin. Ja, du siehst mich an, Ursel. Aber es ist so. Hat er dich nicht auf den rechten Weg gebracht? Sage selbst. Wenn Eccelius nicht war, so stecktest du noch in dem alten Unsinn.«

»Sprich nicht so. Was weißt du davon? Ihr habt ja gar keine Religion. Und Eccelius eigentlich auch nicht. Aber er ist ein guter Mann, eine Seele von Mann, und meint es gut mit mir und aller Welt. Und hat mir zum Herzen gesprochen.«

»Ja, das versteht er; das hat er in der Loge gelernt. Er rührt einen zu Tränen. Und nun gar erst die Weiber.«

»Und dann halt ich zu ihm«, fuhr Ursel fort, ohne der Unterbrechung zu achten, »weil er ein gebildeter Mann ist. Ein guter Mann, und ein gebildeter Mann. Und offen gestanden, daran bin ich gewöhnt.«

Hradscheck lachte. »Gebildet, Ursel, das ist dein drittes Wort. Ich weiß schon. Und dann kommt der Göttinger Student, der dir einen Ring geschenkt hat, als du vierzehn Jahr alt warst (er wird wohl nicht echt gewesen sein), und dann kommt vieles *nicht* oder doch manches nicht … verfärbe dich nur nicht gleich wieder …, und zuletzt kommt der Hildesheimer Bischof. Das ist dein höchster Trumpf, und was Vornehmeres gibt es in der ganzen Welt nicht. Ich weiß es seit lange. Vornehm, vornehm. Ach, ich rede nicht gern davon, aber deine Vornehmheit ist mir teuer zu stehn gekommen.«

Ursel legte das Samtkäppsel aus der Hand, steckte die Nadel hinein und sagte, während sie sich mit halber Wendung von ihm ab- und dem Fenster zukehrte: »Höre, Hradscheck, wenn du gute Tage mit mir haben willst, so sprich nicht so. Hast du Sorgen, so will ich sie mittragen, aber du darfst mich nicht dafür verantwortlich machen, daß sie da sind. Was ich dir hundertmal gesagt habe, das muß ich dir wieder sagen. Du bist kein guter Kaufmann, denn du hast das Kaufmännische nicht gelernt, und du bist kein guter Wirt, denn du spielst schlecht oder doch nicht mit Glück und trinkst nebenher deinen eigenen Wein aus. Und was da nach drüben geht, nach Neu-Lewin hin, oder wenigstens gegangen ist« (und dabei wies sie mit der Hand nach dem Nachbardorfe), »davon will ich nicht reden, schon gar nicht, schon lange nicht. Aber das darf ich dir sagen, Hradscheck, so steht es mit dir. Und anstatt dich zu deinem Unrecht zu bekennen, sprichst du von meinen Kindereien und von dem hochwürdigen Bischof, dem du nicht wert bist die Schuhriemen zu lösen. Und wirfst mir dabei meine Bildung vor.«

»Nein, Ursel.«

»Oder daß ich's ein bißchen hübsch oder, wie du sagst, vornehm haben möchte.«

»Ja, das.«

»Also doch. Nun aber sage mir, was hab ich getan? Ich habe mich in den ersten Jahren eingeschränkt und in der Küche gestanden und gebacken und gebraten und des Nachts an der Wiege gesessen. Ich bin nicht aus dem Haus gekommen, so daß die Leute darüber geredet haben, die dumme Gans draußen in der Ölmühle natürlich an der Spitze (du hast es mir selbst erzählt), und habe jeden Abend vor einem leeren Kleiderschrank gestanden und die hölzernen Riegel gezählt. Und so sieben Jahre, bis die Kinder starben, und erst als sie tot waren und ich nichts hatte, daran ich mein Herz hängen konnte, da hab ich gedacht, nun gut, nun will ich es wenigstens hübsch haben und eine Kaufmannsfrau sein, so wie man sich in meiner Gegend eine Kaufmannsfrau vorstellt. Und als dann der Konkurs auf Schloß Hoppenrade kam, da hab ich dich gebeten, dies bißchen hier anzuschaffen, und das hast du getan, und ich habe mich dafür bedankt. Und war auch bloß in der Ordnung. Denn Dank muß sein, und ein gebildeter Mensch weiß es, und wird ihm nicht schwer. Aber all das, worüber jetzt soviel geredet wird, als ob es wunder was wäre, ja, was ist es denn groß? Eigentlich ist es doch nur altmodisch, und die Seide reißt schon, trotzdem ich sie hüte wie meinen Augapfel. Und wegen dieser paar Sachen stöhnst du und hörst nicht auf zu klagen und verspottest mich wegen meiner Bildung und Feinheit, wie du zu sagen beliebst. Freilich bin ich feiner als die Leute hier, in meiner Gegend ist man feiner. Willst du mir einen Vorwurf daraus machen, daß ich nicht wie die Pute, die Quaas, bin, die ›mir‹ und ›mich‹ verwechselt und eigentlich noch in den Friesrock gehört und Liebschaftenhaben für Bildung hält und sich ›Kätzchen‹ nennen läßt, obschon sie bloß eine Katze ist und eine falsche dazu? Ja, mein lieber Hradscheck, wenn du mir daraus einen Vorwurf machen willst, dann hättest du mich nicht nehmen sollen, das wäre dann das klügste gewesen. Besinne dich. Ich bin dir nicht nachgelaufen, im Gegenteil, du wolltest mich partout und hast mich beschworen um mein ›Ja‹. Das kannst du nicht bestreiten. Nein, das kannst du nicht, Hradscheck. Und nun dies ewige ›vornehm‹ und wieder ›vornehm‹. Und warum? Bloß weil ich einen Trumeau wollte, den man wollen muß, wenn man ein bißchen auf sich hält. Und für einen Spottpreis ist er fortgegangen.«

»Du sagst Spottpreis, Ursel. Ja, was ist Spottpreis? Auch Spottpreise können zu hoch sein. Ich hatte damals nichts und hab es von geborgtem Gelde kaufen müssen.«

»Das hättest du nicht tun sollen, Abel, das hättest du mir sagen müssen. Aber da genierte sich der werte Herr Gemahl und mußte sich auch genieren. Denn warum war kein Geld da? Wegen der Person drüben. Alte Liebe rostet nicht. Versteht sich.«

»Ach Ursel, was soll das! Es nutzt uns nichts, uns unsere Vergangenheit vorzuwerfen.«

»Was meinst du damit? Was heißt Vergangenheit?«

»Wie kannst du nur fragen? Aber ich weiß schon, das ist das alte Lied, das ist Weiberart. Ihr streitet eurem eignen

Liebhaber die Liebschaft ab. Ursel, ich hätte dich für klüger gehalten. So sei doch nicht so kurz von Gedächtnis. Wie lag es denn? Wie fand ich dich damals, als du wieder nach Hause kamst, krank und elend und mit dem Stecken in der Hand, und als der Alte dich nicht aufnehmen wollte mit deinem Kind und du dann zufrieden warst mit einer Schütte Stroh unterm Dach? Ursel, da hab ich dich gesehn, und weil ich Mitleid mit dir hatte, nein, nein, erzürne dich nicht wieder … weil ich dich liebte, weil ich vernarrt in dich war, da hab ich dich bei der Hand genommen, und wir sind hierher gegangen, und der Alte drüben, dem du das Käppsel da nähst, hat uns zusammengetan. Es tut mir nicht leid, Ursel, denn du weißt, daß ich in meiner Neigung und Liebe zu dir der alte bin, aber du darfst dich auch nicht aufs hohe Pferd setzen, wenn ich vor Sorgen nicht aus noch ein weiß, und darfst mir nicht Vorwürfe machen wegen der Rese drüben in Neu-Lewin. Was da hinging, glaube mir, das war nicht viel und eigentlich nicht der Rede wert. Und nun ist sie lange tot und unter der Erde. Nein, Ursel, daher stammt es nicht, und ich schwöre dir's, das alles hätt ich gekonnt, aber der verdammte Hochmut, daß es mit uns was sein sollte, das hat es gemacht, das ist es. Du wolltest hoch hinaus und was Apartes haben, damit sie sich wundern sollten. Und was haben wir nun davon? Da stehen die Sachen, und das Bauernvolk lacht uns aus.«

»Sie beneiden uns.«

»Nun gut, vielleicht, oder wenigstens, solang es vorhält. Aber wenn das alles eines schönen Tages fort ist?«

»Das darf nicht sein.«

»Die Gerichte fragen nicht lange.«

»Das darf nicht sein, sag ich. Alles andre. Nein, Hradscheck, das darfst du mir nicht antun, da nehm ich mir das Leben und geh in die Oder, gleich auf der Stelle. Was Jammer und Elend ist, das weiß ich, das hab ich erfahren. Aber gerade deshalb, gerade deshalb. Ich bin jetzt aus dem Jammer heraus. Gott sei Dank, und ich will nicht wieder hinein. Du sagst, sie lachen über uns, nein, sie lachen *nicht*; aber wenn uns was passierte, dann würden sie lachen. Und daß dann ›Kätzchen‹ ihren Spaß haben und sich über uns lustig machen sollte, oder gar die gute Mietzel, die noch immer in ihrem schwarzen Kopftuch steckt und nicht mal weiß, wie man einen Hut oder eine Haube manierlich aufsetzt, das trüg ich nicht, da möcht ich gleich tot umfallen. Nein, nein, Hradscheck, wie ich dir schon neulich sagte, nur nicht arm. Armut ist das schlimmste, schlimmer als der Tod, schlimmer als …«

Er nickte. »So denk ich auch, Ursel. Nur nicht arm. Aber komm in den Garten! Die Wände hier haben Ohren.«

Und so gingen sie hinaus. Draußen aber nahm sie seinen Arm, hing sich, wie zärtlich, an ihn und plauderte, während sie den Mittelsteig des Gartens auf und ab schritten. Er seinerseits schwieg und überlegte, bis er mit einem Male stehenblieb und, das Wort nehmend, auf die wieder zugeschüttete Stelle neben dem Birnbaum wies. Und nun wurden Ursels Augen immer größer, als er rasch und lebhaft alles, was geschehen müsse, herzuzählen und auseinanderzusetzen begann.

»Es geht nicht. Schlag es dir aus dem Sinn. Es ist nichts so fein gesponnen …«

Er aber ließ nicht ab, und endlich sah man, daß er ihren Widerstand besiegt hatte. Sie nickte, schwieg, und beide gingen auf das Haus zu.

Viertes Kapitel

Der Oktober ging auf die Neige, trotzdem aber waren noch schöne warme Tage, so daß man sich im Freien aufhalten und die Hradschecksche Kegelbahn benutzen konnte. Diese war in der ganzen Gegend berühmt, weil sie nicht nur ein gutes waagerechtes Laufbrett, sondern auch ein bequemes Kegelhäuschen und in diesem zwei von aller Welt bewunderte buntglasige Kuckfenster hatte.

Das gelbe sah auf den Garten hinaus, das blaue dagegen auf die Dorfstraße samt dem dahinter sich hinziehenden Oderdamm, über den hinweg dann und wann der Fluß selbst aufblitzte. Drüben am andern Ufer aber gewahrte man einen langen Schattenstrich: die neumärkische Heide.

Es war halb vier, und die Kugeln rollten schon seit einer Stunde. Der zugleich Kellnerdienste verrichtende Ladenjunge lief hin und her, mal Kaffee, mal einen Kognak bringend, am öftesten aber neugestopfte Tonpfeifen, aus denen die Bauern rauchten und die Wölkchen in die klare Herbstluft hineinbliesen. Es waren ihrer fünf, zwei aus dem benachbarten Kienitz herübergekommen, der Rest echte Tschechiner: Ölmüller Quaas, Bauer Mietzel und Bauer Kunicke. Hradscheck, der, von Berufs wegen, mit dem Schreib- und Rechenwesen am besten Bescheid wußte, saß vor einer großen schwarzen Tafel, die die Form eines Notenpultes hatte.

»Kunicke steht wieder am besten.« – »Natürlich, gegen den kann keiner.« – »Dreimal acht um den König.« Und nun begann ein Sich-Überbieten in Kegelwitzen. »Er kann hexen«, hieß es. »Er hockt mit der Jeschke zusammen.« – »Er spielt mit falschen Karten.« – »Wer soviel Glück hat, muß Strafe zahlen.« Der, der das von den »falschen Karten« gesagt hatte, war Bauer Mietzel, des Ölmüllers Nachbar, ein kleines ausgetrocknetes Männchen, das mehr einem Leineweber als einem Bauern glich. War aber doch ein richtiger Bauer, in dessen Familie nur von alter Zeit her der Schwind war.

»Wer schiebt?«

»Hradscheck.«

Dieser kletterte jetzt von seinem Schreibersitz und wartete gerad auf seine die Lattenrinne langsam herunterkommende Lieblingskugel, als der Landpostbote durch ein auf die Straße führendes Türchen eintrat und einen großen Brief an ihn abgab; Hradscheck nahm den Brief in die Linke, packte die Kugel mit der Rechten und setzte sie kräftig auf, zugleich mit Spannung dem Lauf derselben folgend.

»Sechs!« schrie der Kegeljunge, verbesserte sich aber sofort, als nach einigem Wackeln und Besinnen noch ein siebenter Kegel umfiel.

»Sieben also!« triumphierte Hradscheck, der sich bei dem Wurf augenscheinlich was gedacht hatte.

»Sieben geht«, fuhr er fort. »Sieben ist gut. Kunicke, schiebe für mich und schreib an. Will nur das Porto zahlen.«

Und damit nahm er den Briefträger unterm Arm und ging mit ihm von der Gartenseite her ins Haus.

Das Kegeln setzte sich mittlerweile fort, wer aber Spiel und Gäste vergessen zu haben schien, war Hradscheck. Kunicke hatte schon zum dritten Male statt seiner geschoben, und so wurde man endlich ungeduldig und riß heftig an einem Klingeldraht, der nach dem Laden hineinführte.

Der Junge kam auch.

»Hradscheck soll wieder antreten, Ede. Wir warten ja. Mach flink!«

Und sieh, gleich darnach erschien auch der Gerufene, hochrot und aufgeregt, aber, allem Anscheine nach, mehr in heiterer als verdrießlicher Erregung. Er entschuldigte sich kurz, daß er habe warten lassen, und nahm dann ohne weiteres eine Kugel, um zu schieben.

»Aber du bist ja gar nicht dran!« schrie Kunicke. »Himmelwetter, was ist denn los? Und wie der Kerl aussieht! Entweder ist ihm eine Schwiegermutter gestorben, oder er hat das Große Los gewonnen.«

Hradscheck lachte.

»Nun, so rede doch. Oder sollst du nach Berlin kommen und ein paar neue Rapspressen einrichten? Hast ja neulich unserm Quaas erst vorgerechnet, daß er nichts von der Öl-Presse verstünde.«

»Hab ich, und ist auch so. Nichts für ungut, ihr Herren, aber der Bauer klebt immer am alten.«

»Und die Gastwirte sind immer fürs Neue. Bloß daß nicht viel dabei herauskommt.«

»Wer weiß?«

»Wer weiß? Höre, Hradscheck, ich fange wirklich an zu glauben ... Oder is es 'ne Erbschaft?«

»Is so was. Aber nicht der Rede wert.«

»Und von woher denn?«

»Von meiner Frau Schwester.«

»Bist doch ein Glückskind. Ewig sind ihm die gebratnen Tauben ins Maul geflogen. Und aus dem Hildesheimschen, sagst du?«

»Ja, da so rum.«

»Na, da wird Reetzke drüben froh sein. Er war schon ungeduldig.«

»Weiß; er wollte klagen. Die Neu-Lewiner sind immer ängstlich und Pfennigfuchser und können nicht warten. Aber er wird's nu wohl lernen und sich anders besinnen. Mehr sag ich nicht und paßt sich auch nicht. Man soll den Mund nicht voll nehmen. Und was ist am Ende solch bißchen Geld?«

»Geld ist nie ein bißchen. Wieviel Nullen hat's denn?«

»Ach, Kinder, redet doch nicht von Nullen. Das beste ist, daß es nicht viel Wirtschaft macht und daß meine Frau nicht erst nach Hildesheim braucht. Solche weite Reise, da geht ja gleich die Hälfte drauf. Oder vielleicht auch das Ganze.«

»War es denn schon in dem Brief?«

»I, bewahre. Bloß die Anzeige von meinem Schwager, und daß das Geld in Berlin gehoben werden kann. Ich schicke morgen meine Frau. Sie versauert hier ohnehin.«

»Versteht sich«, sagte Mietzel, der sich immer ärgerte, wenn von dem »Versauern« der Frau Hradscheck die Rede war. »Versteht sich, laß sie nur reisen; Berlin, das ist so was für die Frau Baronin. Und vielleicht bringt sie dir gleich wieder ein Atlassofa mit. Oder 'nen Trumeau. So heißt es ja wohl? Bei so was Feinem muß unserein immer erst fragen. Der Bauer ist ja zu dumm.«

Frau Hradscheck reiste wirklich ab, um die geerbte Summe von Berlin zu holen, was schon im voraus das Gerede der ebenso neidischen wie reichen Bauernfrauen weckte, vor allen der Frau Quaas, die sich, ihrer gekrausten blonden Haare halber, ganz einfach für eine Schönheit hielt und aus dem Umstande, daß sie zwanzig Jahre jünger war als ihr Mann, ihr Recht zu fast ebenso vielen Liebschaften herleitete. Was gut aussah, war ihr ein Dorn im Auge, zumeist aber die Hradscheck, die nicht nur stattlicher und klüger war als sie selbst, sondern zum Überfluß auch noch in Verdacht stand (wenn auch freilich mit Unrecht), den ältesten Kantorssohn – einen wegen Demagogie relegierten Tunichtgut, der nun bei dem Vater auf der Bärenhaut lag – zu Spottversen auf die Tschechiner und ganz besonders auf die gute Frau Quaas angestiftet zu haben. Es war eine lange Reimerei, drin jeder was wegkriegte. Der erste Vers aber lautete:

Woytasch hat den Schulzenstock,
Kunicke 'nen langen Rock,
Mietzel ist ein Hobelspan,
Quaas hat keinem was getan,
Nicht mal seiner eignen Frau,
Kätzchen weiß es ganz genau.
Miau, miau.

Dergleichen konnte nicht verziehen werden, am wenigsten solcher Bettelperson wie dieser hergelaufenen Frau Hradscheck, die nun mal für die Schuldige galt. Das stand bei Kätzchen fest.

»Ich wette«, sagte sie zur Mietzel, als diese denselben Abend noch, an dem die Hradscheck abgereist war, auf der Ölmühle vorsprach, »ich wette, daß sie mit einem Samthut und einer Straußenfeder wiederkommt. Sie kann sich nie genugtun, diese zierige Person, trotz ihrer vierzig. Und alles bloß, weil sie ›Swein‹ sagt und nicht ›switzen‹ kann, auch wenn sie drei Kannen Fliedertee getrunken. Sie sagt aber nicht Fliedertee, sie sagt Holunder.

Und das soll denn was sein. Ach, liebe Mietzel, es ist zum Lachen.«

»Ja, ja!« stimmte die Mietzel ein, schien aber geneigt, die größere Schuld auf Hradscheck zu schieben, der sich einbilde, wunder was Feines geheiratet zu haben. Und sei doch bloß 'ne Katholsche gewesen und vielleicht auch 'ne Springerin; wenigstens habe sie so was munkeln hören. »Und überhaupt, der gute Hradscheck«, fuhr sie fort, »er soll doch nur still sein. In Neu-Lewin reden sie nicht viel Gutes von ihm. Die Rese hat er sitzenlassen. Und mit eins war sie weg, und keiner weiß wie und warum. Und war auch von Ausgraben die Rede, bis unser alter Woytasch rüberfuhr und alles wieder still machte. Natürlich, er will keinen Lärm haben und is 'ne Suse. Zu Hause darf er ohnehin nicht reden. Oder ob er der Hradschecken nach den Augen sieht? Sie hat so was. Und ich sage bloß, wenn wir alles hergelaufene Volk ins Dorf kriegen, so haben wir nächstens auch die Zigeuner hier, und Frau Woytasch kann sich dann nach 'nem Schwiegersohn umsehn. Zeit wird es mit der Rike; dreißig is sie ja schon.«

So ging gleich am ersten Tage das Geklatsch. Als aber eine halbe Woche später die Hradscheck geradeso wiederkam, wie sie gegangen war, das heißt ohne Samthut und Straußenfeder, und noch ebenso grüßte, ja womöglich noch artiger als vorher, da trat ein Umschlag ein, und man fing an, sie gelten zu lassen und sich einzureden, daß die Erbschaft sie verändert habe.

»Man sieht doch gleich«, sagte die Quaas, »daß sie jetzt was haben. Sonst sollte das immer was sein, und sie logen einen grausam an, und war eigentlich nicht zum Aushalten. Aber gestern war sie anders und sagte ganz klein und bescheiden, daß es nur wenig sei.«

»Wieviel mag es denn wohl sein?« unterbrach hier die Mietzel. »Ich denke mir so tausend Taler.«

»O mehr, viel mehr. Wenn es nicht mehr wäre, wäre sie nicht *so*; da zierte sie sich ruhig weiter. Nein, liebe Mietzel, da hat man denn doch so seine Zeichen, und denken Sie sich, als ich sie gestern frug, ›ob es ihr nicht ängstlich gewesen wäre, so ganz allein mit dem vielen Geld‹, da sagte sie: ›Nein, es wär ihr nicht ängstlich gewesen, denn sie habe nur wenig mitgebracht, eigentlich nicht der Rede wert. Das meiste habe sie bei dem Kaufmann in Berlin gleich stehenlassen.‹ Ich weiß ganz bestimmt, sie sagte: das meiste. So wenig kann es also nicht sein.«

Unterredungen wie diese wurden ein paar Wochen lang in jedem Tschechiner Hause geführt, ohne daß man mit Hilfe derselben im geringsten weitergekommen wäre, weshalb man sich schließlich hinter den Postboten steckte. Dieser aber war entweder schweigsam oder wußte nichts, und erst Mitte November erfuhr man von ihm, daß er neuerdings einen rekommandierten Brief bei den Hradschecks abgegeben habe.

»Von woher denn?«

»Aus Krakau.«

Man überlegte sich's, ob das in irgendeiner Beziehung zur Erbschaft stehen könne, fand aber nichts.

Und war auch nichts zu finden. Denn der eingeschriebene Brief lautete:

»*Krakau*, den 9. November 1831

Herrn *Abel Hradscheck* in Tschechin. Oderbruch.

Ew. Wohlgeboren bringen wir hiermit zu ganz ergebenster Kenntnis, daß unser Reisender, Herr Szulski, wie alljährlich so auch in diesem Jahre wieder, in der letzten Novemberwoche bei Ihnen eintreffen und Ihre weitern geneigten Aufträge in Empfang nehmen wird. Zugleich aber gewärtigen wir, daß Sie, hochgeehrter Herr, bei dieser Gelegenheit Veranlassung nehmen wollen, unsre seit drei Jahren anstehende Forderung zu begleichen. Wir rechnen um so bestimmter darauf, als es uns, durch die politischen Verhältnisse des Landes und den Rückschlag derselben auf unser Geschäft, unmöglich gemacht wird, einen ferneren Kredit zu bewilligen. Genehmigen Sie die Versicherung unserer Ergebenheit.

Olszewski-Goldschmidt & Sohn«

Hradscheck, als er diesen Brief empfangen hatte, hatte nicht gesäumt, auch seine Frau mit dem Inhalte desselben bekannt zu machen. Diese blieb anscheinend ruhig, nur um ihre Lippen flog ein nervöses Zittern.

»Wo willst du's hernehmen, Abel? Und doch muß es geschafft werden. Und ihm eingehändigt werden … Und zwar vor Zeugen. Willst du's borgen?«

Er schwieg.

»Bei Kunicke?«

»Nein. Geht nicht. Das sieht aus nach Verlegenheit. Und die darf es nach der Erbschaftsgeschichte nicht mehr geben. Und gibt's auch nicht. Ich glaube, daß ich's schaffe.«

»Gut. Aber wie?«

»Bis zum 30. hab ich noch die Feuerkassengelder.«

»Die reichen nicht.«

»Nein. Aber doch beinah. Und den Rest deck ich mit einem kleinen Wechsel. Ein großer geht nicht, aber ein kleiner ist gut und eigentlich besser als bar.«

Sie nickte.

Dann trennte man sich, ohne daß weiter ein Wort gewechselt worden wäre.

Was zwischen ihnen zu sagen war, war gesagt und jedem seine Rolle zugeteilt. Nur fanden sie sich sehr verschieden hinein, wie schon die nächste Minute zeigen sollte.

Hradscheck, voll Beherrschung über sich selbst, ging in den Laden, der gerade voll hübscher Bauernmädchen war, und zupfte hier der einen am Busentuch, während er der andern die Schürzenbänder aufband. Einer Alten aber gab er einen Kuß. »Einen Kuß in Ehren darf niemand wehren – nich wahr, Mutter Schickedanz?«

Mutter Schickedanz lachte.

Der *Frau* Hradscheck aber fehlten die guten Nerven,

deren ihr Gatte sich rühmen konnte. Sie ging in ihr Schlafzimmer, sah in den Garten und überschlug ihr Leben. Dabei murmelte sie halb unverständliche Worte vor sich hin und schien, den Bewegungen ihrer Hand nach, einen Rosenkranz abzubeten. Aber es half alles nichts. Ihr Atem blieb schwer, und sie riß endlich das Fenster auf, um die frische Luft einzusaugen.

So vergingen Stunden. Und als Mittag kam, kamen nur Hradscheck und Ede zu Tisch.

Fünftes Kapitel

Es war Ende November, als an einem naßkalten Abende der von der Krakauer Firma angekündigte Reisende vor Hradschecks Gasthof vorfuhr. Er kam von Küstrin und hatte sich um ein paar Stunden verspätet, weil die vom Regen aufgeweichten Bruchwege beinah unpassierbar gewesen waren, am meisten im Dorfe selbst. Noch die letzten dreihundert Schritt von der Orthschen Windmühle her hatten ein gut Stück Zeit gekostet, weil das ermüdete Pferd mitunter stehenblieb und trotz allem Fluchen nicht weiter wollte. Jetzt aber hielt der Reisende vor der Ladentür, durch deren trübe Scheiben ein Lichtschein auf den Damm fiel, und knipste mit der Peitsche.

»Hallo; Wirtschaft!«

Eine Weile verging, ohne daß wer kam. Endlich erschien der Ladenjunge, lief aber, als er den Tritt heruntergeklappt hatte, gleich wieder weg, »weil er den Knecht, den Jakob, rufen wolle«.

»Gut, gut. Aber flink … Is das ein Hundewetter!«

Unter solchen und ähnlichen Ausrufungen schlug der jetzt wieder alleingelassene Reisende das Schutzleder zurück, hing den Zügel in den frei gewordenen Haken und kletterte, halb erstarrt und unter Vermeidung des Tritts, dem er nicht recht zu trauen schien, über das Rad weg auf eine leidlich trockene, grad vor dem Ladeneingange durch

Aufschüttung von Müll und Schutt hergerichtete Stelle. Wolfsschur und Pelzmütze hatten ihm Kopf und Leib geschützt, aber die Füße waren wie tot, und er stampfte hin und her, um wieder Leben ins Blut zu bringen.

Und jetzt erschien auch Jakob, der den Reisenden schon von früher her kannte.

»Jott, Herr Szulski, bi so 'n Wetter! Un so 'ne Weg! I, doa kümmt joa keen Düwel nich.«

»Aber ich«, lachte Szulski.

»Joa, blot *Se*, Herr Szulski. Na, nu geihen S' man in de Stuw. Un dat Fellisen besorg ick. Un will ook glieks en beten wat inböten. Ick weet joa: de Giegelstuw, de geele, de noah de Kegelboahn to.«

Während er noch so sprach, hatte Jakob den Koffer auf die Schulter genommen und ging, dem Reisenden vorauf, auf die Treppe zu; als er aber sah, daß Szulski, statt nach links hin in den Laden, nach rechts hin in das Hradscheck-sche Wohnzimmer eintreten wollte, wandt er sich wieder und sagte: »Nei, nich doa, Herr Szulski. Hradscheck is in de Wienstuw ... Se weeten joa.«

»Sind denn Gäste da?«

»Versteiht sich. Wat arme Lüd sinn, na, de bliewen to Huus, awers Oll-Kunicke kümmt, un denn kümmt Orth ook. Un wenn Orth kümmt, denn kümmt ook Quaas un Mietzel. Geihen S' man in. Se tempeln all wedder.«

Eine Stunde später war der Reisende, Herr Szulski, der eigentlich ein einfacher Schulz aus Beuthen in Oberschlesien war und den National-Polen erst mit dem polnischen Samtrock samt Schnüren und Knebelknöpfen angezogen hatte, der Mittelpunkt der kleinen, auch heute wieder in der Weinstube versammelten Tafelrunde. Das Geschäftliche war in Gegenwart von Quaas und Kunicke rasch abgemacht und die hoch aufgelaufene Schuldsumme, ganz wie gewollt, durch Barzahlung und kleine Wechsel beglichen worden, was dem Pseudo-Polen, der eine so rasche Regulierung kaum erwartet haben mochte, Veranlassung gab, einiges von dem von seiner Firma gelieferten Ruster bringen zu lassen.

»Ich kenne die Jahrgänge, meine Herren, und bitt um die Ehr.«

Die Bauern stutzten einen Augenblick, sich so zu Gaste geladen zu sehen, aber sich rasch erinnernd, daß einige von ihnen bis ganz vor kurzem noch zu den Kunden der Krakauer Firma gehört hatten, sahen sie das Anerbieten schließlich als einen bloßen Geschäftsakt an, den man sich gefallen lassen könne. Was aber den Ausschlag gab, war, daß man durchaus von dem eben beendigten polnischen Aufstand hören wollte, von Diebitsch und Paskewitsch, und vor allem, ob es nicht bald wieder losgehe.

Szulski, wenn irgendwer, mußte davon wissen.

Als er das vorige Mal in ihrer Mitte weilte, war es ein paar Wochen vor Ausbruch der Insurrektion gewesen. Alles, was er damals als nahe bevorstehend prophezeit hatte, war eingetroffen und lag jetzt zurück, Ostrolenka war geschlagen und Warschau gestürmt, welchem Sturme der zufällig in der Hauptstadt anwesende Szulski zum mindesten als Augenzeuge, vielleicht auch als Mitkämpfer (er ließ dies vorsichtig im Dunkel) beigewohnt hatte. Das alles traf sich trefflich für unsere Tschechiner, und Szulski, der als guter Weinreisender natürlich auch ein guter Erzähler war, schwelgte förmlich in Schilderung der polnischen Heldentaten wie nicht minder in Schilderung der Grausamkeiten, deren sich die Russen schuldig gemacht hatten. Eine Hauserstürmung in der Dlugastraße, just da, wo diese mit ihren zwei schmalen Ausläufern die Weichsel berührt, war dabei sein Paradepferd.

»Wie hieß die Straße?« fragte Mietzel, der nach Art aller verquienten Leute bei Kriegsgeschichten immer hochrot wurde.

»Dlugastraße«, wiederholte Szulski mit einer gewissen gekünstelten Ruhe. »Dluga, Herr Mietzel. Und das Eckhaus, um das es sich in meiner Geschichte handelt, stand dicht an der Weichsel, der Vorstadt Praga grad gegenüber, und war von unseren Akademikern und Polytechnikern besetzt, das heißt von den wenigen, die von ihnen noch übrig waren, denn die meisten lagen längst draußen auf dem Ehrenfelde. Gleichviel indes, was von ihnen noch lebte, das steckte jetzt in dem vier Etagen hohen Hause, von Treppe zu Treppe bis unters Dach. Auf dem abgedeckten Dach aber befanden sich Frauen und Kinder, die sich hier hinter Balkenlagen verschanzt und mit herangeschleppten Steinen bewaffnet hatten. Als nun die Russen, es war das Regiment Kaluga, bis dicht heran waren, rührten sie die Trommel zum Angriff. Und so stürmten sie dreimal, immer umsonst, immer mit schwerem Verlust, so dicht fiel der Steinhagel auf sie nieder. Aber das vierte Mal kamen sie bis an die verrammelte Tür, stießen sie mit Kolben ein und sprangen die Treppe hinauf. Immer höher zogen sich unsere Tapferen zurück, bis sie zuletzt, mit den Frauen und Kindern und im bunten Durcheinander mit diesen, auf dem abgedeckten Dache standen. Da sah ich jeden einzelnen so deutlich vor mir, wie ich *Sie* jetzt sehe, Bauer Mietzel!« – dieser fuhr zurück –, »denn ich hatte meine Wohnung in dem Hause gegenüber und sah, wie sie die Konfederatka schwenkten, und hörte, wie sie unser Lied sangen: ›Noch ist Polen nicht verloren.‹ Und bei meiner Ehre, *hier*, an dieser Stelle, hätten sie sich trotz aller Übermacht des Feindes gehalten, wenn nicht plötzlich, von der Seite her, ein Hämmern und Schlagen hörbar geworden wäre, ein Hämmern und Schlagen, sag ich, wie von Äxten und Beilen.«

»Wie? Was? Von Äxten und Beilen?« wiederholte Mietzel, dem sein bißchen Haar nachgerade zu Berge stand. »Was war es?«

»Ja, was war es? Vom Nachbarhause her ging man vor; jetzt war ein Loch da, jetzt eine Bresche, und durch die Bresche hin drang das russische Regiment auf den Dachboden vor. Was ich da gesehen habe, spottet jeder Beschreibung. Wer einfach niedergeschossen wurde, konnte von Glück sagen, die meisten aber wurden durch einen Bajonettstoß auf die Straße geschleudert. Es war ein Graus, meine Herren. Eine Frau wartete das Massacre, ja, vielleicht Schimpf und Entehrung (denn dergleichen ist vorgekommen), nicht erst ab; sie nahm ihre beiden Kinder an die Hand und stürzte sich mit ihnen in den Fluß.«

»Alle Wetter«, sagte Kunicke, »das ist stark! Ich habe doch auch ein Stück Krieg mitgemacht und weiß wohl, wo man Holz fällt, fallen Späne. So war es bei Möckern, und ich sehe noch unsren alten Krosigk, wie der den Marinekaptän über den Haufen stach, und wie dann das Kolbenschlagen losging, bis alle dalagen. Aber Frauen und Kinder! Alle Wetter, Szulski, das ist scharf. Is es denn auch wahr?«

»Ob es wahr ist? Verzeihung, ich bin kein Aufschneider, Herr Kunicke. Kein Pole schneidet auf, das verachtet er. Und ich auch. Aber was ich gesehn habe, das hab ich gesehn, und eine Tatsache bleibt eine Tatsache, sie sei, wie sie sei. Die Dame, die da heruntersprang (und ich schwör Ihnen, meine Herren, es *war* eine Dame), war eine schöne Frau, keine sechsunddreißig, und so wahr ein Gott im Himmel lebt, ich hätt ihr was Beßres gewünscht als diese naßkalte Weichsel.«

Kunicke schmunzelte, während der neben anderen Schwächen und Leiden auch an einer Liebesader leidende Mietzel nicht umhin konnte, seiner nervösen Erregtheit plötzlich eine ganz neue Richtung zu geben. Szulski selbst aber war viel zu sehr von sich und seiner Geschichte durchdrungen, um nebenher noch zu Zweideutigkeiten Zeit zu haben, und fuhr, ohne sich stören zu lassen, fort: »Eine schöne Frau, sagt ich, und hingemordet. Und was das schlimmste dabei, nicht hingemordet durch den Feind, nein, durch uns selbst; hingemordet, weil wir verraten waren. Hätte man uns freie Hand gelassen, kein Russe wäre je über die Weichsel gekommen. Das Volk war gut, Bürger und Bauer waren gut, alles einig, alles da mit Gut und Blut. Aber der Adel! Der Adel hat uns um dreißig

Silberlinge verschachert, bloß weil er an sein Geld und seine Güter dachte. Und wenn der Mensch erst an sein Geld denkt, ist er verloren.«

»Kann ich nicht zugeben«, sagte Kunicke. »Jeder denkt an sein Geld. Alle Wetter, Szulski, das sollt unsrem Hradscheck schon gefallen, wenn der Reisende von Olszewski-Goldschmidt und Sohn alle November hier vorspräch und nie an Geld dächte. Nicht wahr, Hradscheck, da ließe sich bald auf einen grünen Zweig kommen und brauchte keine Schwester oder Schwägerin zu sterben und keine Erbschaft ausgezahlt zu werden.«

»Ah, Erbschaft«, wiederholte Szulski. »So, so; daher. Nun, gratuliere. Habe neulich auch einen Brocken geerbt und in Lemberg angelegt. Lemberg ist besser als Krakau. Ja, das muß wahr sein, Erbschaft ist die beste Art, zu Gelde zu kommen, die beste und eigentlich auch die anständigste …«

»Und namentlich auch die leichteste«, bestätigte Kunicke. »Ja, das liebe Geld. Und wenn's viel ist, das heißt *sehr* viel, dann darf man auch dran denken! Nicht wahr, Szulski?«

»Natürlich«, lachte dieser. »Natürlich, wenn's viel ist. Aber, Bauer Kunicke, denken und denken ist ein Unterschied. Man muß *wissen*, daß man's hat, soviel ist richtig, das ist gut und ein angenehmes Gefühl und stört nicht …«

»Nein, nein, stört nicht.«

»Aber meine Herren, ich muß es wiederholen, denken und denken ist ein Unterschied. An Geld *immer* denken, bei Tag und bei Nacht, das ist soviel wie sich immer drum ängstigen. Und ängstigen soll man sich nicht. Wer auf Reisen ist und immer an seine Frau denkt, der ängstigt sich um seine Frau.«

»Freilich«, schrie Kunicke. »Quaas ängstigt sich auch immer.«

Alle lachten unbändig, und nur Szulski selbst, der auch darin durchaus Anekdoten- und Geschichtenerzähler von Fach war, daß er sich nicht gern unterbrechen ließ, fuhr mit allem erdenklichen Ernste fort: »Und wie mit der Frau, meine Herren, so mit dem Geld. Nur nicht ängstlich; haben muß man's, aber man muß nicht ewig daran denken. Oft muß ich lachen, wenn ich so sehe, wie der oder jener im Postwagen oder an der Table d'hôte mit einem Male nach seiner Brieftasche faßt, ›ob er's auch noch hat‹. Und dann atmet er auf und ist ganz rot geworden. Das ist immer lächerlich und schadet bloß. Und auch das Einnähen hilft nichts, das ist ebenso dumm. Ist der Rock weg, ist auch das Geld weg. Aber was man auf seinem Leibe hat, das hat man. All die andern Vorsichten sind Unsinn.«

»Recht so«, sagte Hradscheck. »So mach ich's auch. Aber wir sind bei dem Geld und dem Einnähen ganz von Polen abgekommen. Ist es denn wahr, Szulski, daß sie Diebitschen vergiftet haben?«

»Versteht sich, es ist wahr.«

»Und die Geschichte mit den elf Talglichten auch? Auch wahr?«

»Alles wahr«, wiederholte Szulski. »Daran ist kein Zweifel. Und es kam so. Konstantin wollte die Polen ärgern, weil sie gesagt hatten, die Russen fräßen bloß Talg. Und da ließ er, als er eines Tages elf Polen eingeladen hatte, zum Dessert elf Talglichte herumreichen, das zwölfte aber war von Marzipan und natürlich für ihn. Und versteht sich, nahm er immer zuerst, dafür war er Großfürst und Vizekönig. Aber das eine Mal vergriff er sich doch, und da hat er's runterwürgen müssen.«

»Wird nicht sehr glatt gegangen sein.«

»Gewiß nicht ... Aber, ihr Herren, kennt ihr denn schon das neue Polenlied, das sie jetzt singen?«

»Denkst du daran – –«

»Nein, das ist alt. Ein neues.«

»Und heißt?«

»Die letzten zehn vom vierten Regiment ... Wollt ihr's hören? Soll ich es singen?«

»Freilich.«

»Aber ihr müßt einfallen ...«

»Versteht sich, versteht sich.«

Und nun sang Szulski, nachdem er sich geräuspert hatte:

»Zu Warschau schwuren tausend auf den Knien:
Kein Schuß im heil'gen Kampfe sei getan,
Tambour, schlag an, zum Blachfeld laß uns ziehen,
Wir greifen nur mit Bajonetten an!
Und ewig kennt das Vaterland und nennt
Mit stillem Schmerz sein *viertes* Regiment.«

»Einfallen! Chorus.« – »Weiter Szulski, weiter.«

»Ade, ihr Brüder, die zu Tod getroffen
An unsrer Seite dort wir stürzen sahn,
Wir leben noch, die Wunden stehen offen,
Und um die Heimat ewig ist's getan;
Herr Gott im Himmel, schenk ein gnädig End
Uns letzten zehn vom vierten Regiment.«

Chorus:

»Uns letzten zehn vom vierten Regiment.«

Alles jubelte. Dem alten Quaas aber traten seine schon von Natur vorstehenden Augen immer mehr aus dem Kopf.

»Wenn ihn jetzt seine Frau sähe«, rief Kunicke.

»Da hätt er Oberwasser.«

»Ja, ja.«

Und nun stieß man an und ließ die Polen leben. Nur Kunicke, der an Anno 13 dachte, weigerte sich und trank auf die Russen. Und zuletzt auch auf Quaas und Kätzchen.

Mietzel aber war ganz übermütig und halb wie verdreht geworden und sang, als er Kätzchens Namen hörte, mit einem Male:

»Nicht mal seiner eignen Frau,
Kätzchen weiß es ganz genau.
Miau.«

Quaas sah verlegen vor sich hin. Niemand indessen dachte mehr an Übelnehmen.

Und nun wurde der Ladenjunge gerufen, um neue Flaschen zu bringen.

Sechstes Kapitel

So ging es bis Mitternacht. Der schräg gegenüber wohnende Kunicke wollte noch bleiben und machte spitze Reden, daß Szulski, der schon ein paarmal zum Aufbruch gemahnt, so müde sei. Der aber ließ sich weder durch Spott noch gute Worte länger zurückhalten; »er müsse morgen um neun in Frankfurt sein«. Und damit nahm er den bereitstehenden Leuchter, um in seine Giebelstube hinaufzusteigen. Nur als er die Türklinke schon in der Hand hatte, wandt er sich noch einmal und sagte zu Hradscheck: »Also vier Uhr, Hradscheck. Um fünf muß ich weg. Und versteht sich, ein Kaffee. Guten Abend, ihr Herren. Allerseits wohl zu ruhn!«

Auch die Bauern gingen; ein starker Regen fiel, und alle fluchten über das scheußliche Wetter. Aber keine Stunde mehr, so schlug es um, der Regen ließ nach, und ein heftiger Südost fegte statt seiner über das Bruch hin. Seine Heftigkeit wuchs von Minute zu Minute, so daß allerlei Schaden an Häusern und Dächern angerichtet wurde, nirgends aber mehr als an dem Hause der alten Jeschke, das grad in dem Windstrome lag, der, von der andern Seite der Straße her, zwischen Kunickes Stall und Scheune mitten durchfuhr. Klappernd kamen die Ziegel vom Dachfirst herunter und schlugen mit einem dumpfen Geklatsch in den aufgeweichten Boden.

»Dat's joa groad, as ob de Bös kümmt«, sagte die Alte und richtete sich in die Höh, wie wenn sie aufstehen wolle. Das Herausklettern aus dem hochstelligen Bett aber schien ihr zuviel Mühe zu machen, und so klopfte sie nur das Kopfkissen wieder auf und versuchte weiterzuschlafen. Freilich umsonst. Der Lärm draußen und die wachsende Furcht, ihren ohnehin schadhaften Schornstein in die Stube hinabstürzen zu sehn, ließen sie mit ihrem Versuche nicht weit kommen, und so stand sie schließlich doch auf und tappte sich an den Herd hin, um hier an einem bißchen Aschenglut einen Schwefelfaden und dann das Licht anzuzünden. Zugleich warf sie reichlich Kienäpfel auf, an denen sie nie Mangel litt, seit sie letzten Herbst dem vierjährigen Jungen von Förster Nothnagel, drüben in der neumärkischen Heide, das freiwillige Hinken wegkuriert hatte.

Das Licht und die Wärme taten ihr wohl, und als es ein paar Minuten später in dem immer bereitstehenden Kaffeetopfe zu dampfen und zu brodeln anfing, hockte sie neben dem Herde nieder und vergaß über ihrem Behagen den Sturm, der draußen heulte. Mit einem Mal aber gab es einen Krach, als bräche was zusammen, ein Baum oder ein Strauchwerk, und so ging sie denn mit dem Licht ans Fenster und, weil das Licht hier blendete, vom Fenster her in die Küche, wo sie den obern Türladen rasch aufschlug, um zu sehn, was es sei. Richtig, ein Teil des Gartenzauns war umgeworfen, und als sie das niedergelegte Stück nach links hin bis an das Kegelhäuschen verfolgte, sah sie, zwischen den Pfosten der Lattenrinne hindurch, daß in dem Hradscheckschen Hause noch Licht war. Es flimmerte hin und her, mal hier, mal da, so daß sie nicht recht sehen konnte, woher es kam, ob aus dem Kellerloch unten oder aus dem dicht darüber gelegenen Fenster der Weinstube.

»Mien Jott, supen se noch?« fragte die Jeschke vor sich hin. »Na, Kunicke is et kumpafel. Un dann seggt he hinnerher, dat Wedder wihr schull un he künn nich anners.«

Unter dieser Betrachtung schloß sie den Türladen wieder und ging an ihre Herdstätte zurück. Aber ihr Hang zu spionieren ließ ihr keine Ruh, und trotzdem der Wind immer stärker geworden war, suchte sie doch die

Küche wieder auf und öffnete den Laden noch einmal, in der Hoffnung, was zu sehen. Eine Weile stand sie so, ohne daß etwas geschehen wäre, bis sie, als sie sich schon zurückziehn wollte, drüben plötzlich die Hradschecksche Gartentür auffliegen und Hradscheck selbst in der Türöffnung erscheinen sah. Etwas Dunkles, das er schon vorher herangeschafft haben mußte, lag neben ihm. Er war in sichtlicher Erregung und sah gespannt nach ihrem Hause hinüber. Und dann war's ihr doch wieder, als ob er wolle, *daß* man ihn sähe. Denn wozu sonst das Licht, in dessen Flackerschein er dastand? Er hielt es immer noch vor sich, es mit der Hand schützend, und schien zu schwanken, wohin damit. Endlich aber mußt er eine geborgene Stelle gefunden haben, denn das Licht selbst war weg und statt seiner nur noch ein Schein da, viel zu schwach, um den nach wie vor in der Türöffnung liegenden dunklen Gegenstand erkennen zu lassen. Was war es? Eine Truhe? Nein. Dazu war es nicht lang genug. Oder ein Korb, eine Kiste? Nein, auch das nicht.

»Wat he man hett?« murmelte sie vor sich hin.

Aber ehe sie sich, aus ihren Mutmaßungen heraus, ihre Frage noch beantworten konnte, sah sie, wie der ihr auf Minuten aus dem Auge gekommene Hradscheck von der Tür her in den Garten trat und mit einem Spaten in der Hand rasch auf den Birnbaum zuschritt. Hier grub er eifrig und mit sichtlicher Hast und mußte schon ein gut Teil Erde herausgeworfen haben, als er mit einem Male das Graben aufgab und sich aufs neue nach allen Seiten hin umsah. Aber auch jetzt wieder (so wenigstens schien es ihr) mehr in Spannung als in Angst und Sorge.

»Wat he man hett?« wiederholte sie.

Dann sah sie, daß er das Loch rasch wieder zuschüttete. Noch einen Augenblick, und die Gartentür schloß sich, und alles war wieder dunkel.

»Hm«, brummte die Jeschke. »Dat's joa binoah, as ob he een' abmurkst hett. Na, so dull wahrd et joa woll nich sinn … Nei, nei, denn wihr dat Licht nich. Awers ick tru em nich. Un ehr tru ick ook nich.«

Und damit ging sie wieder bis an ihr Bett und kletterte hinein.

Aber ein rechter Schlaf wollt ihr nicht mehr kommen, und in ihrem halbwachen Zustande sah sie beständig das Flimmern im Kellerloch und dann den Lichtschein, der in den Garten fiel, und dann wieder Hradscheck, wie er unter dem Baume stand und grub.

Siebentes Kapitel

Um vier Uhr stieg der Knecht die Stiege hinauf, um Szulski zu wecken. Er fand aber die Stube verschlossen, weshalb er sich begnügte, zu klopfen und durch das Schlüsselloch hineinzurufen: »Is vier, Herr Szulski; steihn S' upp.« Er horchte noch eine Weile hinein, und als alles ruhig blieb, riß er an der klapprigen Türklinke hin und her und wiederholte: »Steihn S' upp, Herr Szulski, is Tied; ick spann nu an.« Und danach ging er wieder treppab und durch den Laden in die Küche, wo die Hradschecksche Magd, eine gutmütige Person mit krausem Haar und vielen Sommersprossen, noch halb verschlafen am Herde stand und Feuer machte.

»Na, Maleken, ook all rut? Wat seggst *du* dato? Klock vieren. Is doch Menschenschinnerei. Worümm nich um söss? Um söss wihr ook noch Tied. Na, nu koch uns man en beten wat mit.«

Und damit wollt er von der Küche her in den Hof hinaus. Aber der Wind riß ihm die Tür aus der Hand und schlug sie mit Gekrach wieder zu.

»Jott, Jakob, ick hebb mi so verfiert. Dat künn joa 'nen Doden uppwecken.«

»Sall ook, Male. He hett joa 'nen Dodensloap. Nu wahrd he woll uppstoahn.«

Eine halbe Stunde später hielt der Einspänner vor der Haustür, und Jakob, dem die Hände vom Leinehalten schon ganz klamm waren, sah ungeduldig in den Flur hinein, ob der Reisende noch nicht komme.

Der aber war immer noch nicht zu sehen, und statt seiner erschien nur Hradscheck und sagte: »Geh hinauf, Jakob, und sieh nach, was es ist. Er ist am Ende wieder eingeschlafen. Und sag ihm auch, sein Kaffee würde kalt … Aber nein, laß nur; bleib. Er wird schon kommen.«

Und richtig, er kam auch und stieg, während Hradscheck so sprach, gerade die nicht allzu hohe Treppe hinunter. Diese lag noch in Dunkel, aber ein Lichtschimmer vom Laden her ließ die Gestalt des Fremden doch einigermaßen deutlich erkennen. Er hielt sich am Geländer fest und ging mit besonderer Langsamkeit und Vorsicht, als ob ihm der große Pelz unbequem und beschwerlich sei. Nun aber war er unten, und Jakob, der alles neugierig verfolgte, was vorging, sah, wie Hradscheck auf ihn zuschritt und ihn mit vieler Artigkeit vom Flur her in die Wohnstube hineinkomplimentierte, wo der Kaffee schon seit einer Viertelstunde wartete.

»Na, nu wahrd et joa woll wihr'n«, tröstete sich der draußen immer ungeduldiger Werdende. »Kümmt Tied, kümmt Roat.« Und wirklich, ehe fünf Minuten um waren, erschien das Paar wieder auf dem Flur und trat von diesem her auf die Straße, wo der verbindliche Hradscheck nunmehr rasch auf den Wagen zuschritt und den Tritt herunterließ, während der Reisende, trotzdem ihm die Pelzmütze tief genug im Gesicht saß, auch noch den Kragen seiner Wolfsschur in die Höhe klappte.

»Das ist recht«, sagte Hradscheck. »Besser bewahrt als beklagt. Und nun mach flink, Jakob, und hole den Koffer.«

Dieser tat auch, wie befohlen, und als er mit dem Mantelsack wieder unten war, saß der Reisende schon im Wagen und hatte den von ihm als Trinkgeld bestimmten Gulden vor sich auf das Spritzleder gelegt. Ohne was zu sagen, wies er darauf hin und nickte nur, als Jakob sich bedankte. Dann nahm er die Leine ziemlich ungeschickt in die Hand, woran wohl die großen Pelzhandschuhe schuld sein mochten, und fuhr auf das Orthsche Gehöft und die schattenhaft am Dorfausgange stehende Mühle zu. Diese ging nicht; der Wind wehte zu heftig.

Hradscheck sah dem auf dem schlechten Wege langsam sich fortbewegenden Fuhrwerk eine Weile nach, sein Kopf war unbedeckt, und sein spärlich blondes Haar flog ihm um die Stirn. Es war aber, als ob die Kühlung ihn erquicke. Als er wieder in den Flur trat, fand er Jakob, der sich das Guldenstück ansah.

»Gefällt dir wohl? Einen Gulden gibt nicht jeder. Ein feiner Herr!«

»Dat sall woll sien. Awers worümm he man so still wihr? He seggte joa keen Wuhrt nich.«

»Nein, er hatte wohl noch nicht ausgeschlafen«, lachte Hradscheck. »Is ja erst fünf.«

»Versteiht sich. Klock feiv red ick ook nich veel.«

Achtes Kapitel

Der Wind hielt an, aber der Himmel klärte sich, und bei hellem Sonnenschein fuhr um Mittag ein Jagdwagen vor dem Tschechiner Gasthause vor. Es war der Friedrichsauer Amtsrat; Trakehner Rapphengste, der Kutscher in Livree. Hradscheck erschien in der Ladentür und grüßte respektvoll, fast devot.

»Tag, lieber Hradscheck; bringen Sie mir einen ›Luft‹ oder lieber gleich zwei; mein Kutscher wird auch nichts dagegen haben. Nicht wahr, Johann? Eine wahre Hundekälte. Und dabei diese Sonne.«

Hradscheck verbeugte sich und rief in den Laden hinein: »Zwei Pfefferminz, Ede; rasch!« und wandte sich dann mit der Frage zurück, womit er sonst noch dienen könne.

»*Mir* mit nichts, lieber Hradscheck, aber andren Leuten. Oder wenigstens der Obrigkeit. Da liegt ein Fuhrwerk unten in der Oder, wahrscheinlich fehlgefahren und in der Dunkelheit vom Damm gestürzt.«

»Wo, Herr Amtsrat?«

»Hier gleich. Keine tausend Schritt hinter Orths Mühle.«

»Gott im Himmel, ist es möglich! Aber wollen der Herr Amtsrat nicht bei Schulze Woytasch mit vorfahren?«

»Kann nicht, Hradscheck; ist mir zu sehr aus der Richt. Der Reitweiner Graf erwartet mich, und habe mich schon verspätet. Und zu helfen ist ohnehin nicht mehr, soviel hab ich gesehn. Aber alles muß doch seinen Schick haben, auch Tod und Unglück. Adieu … Vorwärts!«

Und damit gab er dem Kutscher einen Tipp auf die Schulter, der seine Trakehner wieder antrieb und wenigstens einen Versuch machte, trotz der grundlosen Wege das Versäumte nach Möglichkeit wieder einzubringen.

Hradscheck machte gleich Lärm und schickte Jakob zu Schulze Woytasch, während er selbst zu Kunicke hinüberging, der eben seinen Mittagsschlaf hielt.

»Stör dich nicht gern um diese Zeit, Kunicke; Schlaf ist mir allemal heilig, und nun gar deiner! Aber es hilft nichts, wir müssen hinaus. Der Friedrichsauer Amtsrat war eben da und sagte mir, daß ein Fuhrwerk in der Oder liege. Mein Gott, wenn es Szulski wäre!«

»Wird wohl«, gähnte Kunicke, dem der Schlaf noch in allen Gliedern steckte, »wird wohl … Aber er wollte ja nicht hören, als ich ihm gestern abend sagte: ›Nicht so früh, Szulski, nicht so früh …‹ Denke doch bloß voriges Jahr, wie die Post runterfiel und der arme Kerl von Postillon gleich mausetot. Und der kannte doch unsern Damm! Und nu solch Pohlscher, solch Bruder Krakauer. Na, wir werden ja sehn.«

Inzwischen hatte sich Kunicke zurechtgemacht und war erst in hohe Bruchstiefel und dann in einen dicken graugrünen Flausrock hineingefahren. Und nun nahm er seine Mütze vom Riegel und einen Pikenstock aus der Ecke.

»Komm!«

Damit traten er und Hradscheck vom Flur her auf die Treppenrampe hinaus.

Der Wind blies immer stärker, und als beide, so gut es ging, von oben her sich umsahen, sahen sie, daß Schulze Woytasch, der schon anderweitig von dem Unglück gehört haben mußte, die Dorfstraße herunterkam. Er hatte seine Ponies, brillante kleine Traber, einspannen lassen und fuhr, aller Polizeiregel zum Trotz, über den aufgeschütteten Gangweg hin, was er sich als Dorfobrigkeit schon erlauben konnte. Zudem durft er sich mit Dringlichkeit entschuldigen. Als er dicht an Kunickes Rampe heran war, hielt er und rief beiden zu: »Wollt auch hinaus? Natürlich. Immer aufsteigen. Aber rasch.« Und im nächsten Augenblicke ging es auf dem aufgeschütteten Wege in vollem Trabe weiter, auf Orths Gehöft und die Mühle zu. Hradscheck saß vorn neben dem Kutscher, Kunicke neben dem Schulzen. Das war so Regel und Ordnung, denn ein Bauerngut geht vor Gasthaus und Kramladen.

Gleich hinter der Mühle begann die langsam und allmählich zum Damm ansteigende Schrägung. Oben war der Weg etwas besser, aber immer noch schlecht genug, so daß es sich empfahl, dicht am Dammrand entlangzufahren, wo, wegen des weniger aufgeweichten Bodens, die Räder auch weniger tief einschnitten.

»Paß Achtung«, sagte Woytasch, »sonst liegen wir auch unten.«

Und der Kutscher, dem selber ängstlich sein mochte, lenkte sofort auf die Mitte des Damms hinüber, trotzdem er hier langsamer fahren mußte.

Sah man von der Fährlichkeit der Situation ab, so war es eine wundervolle Fahrt und das sich weithin darbietende Bild von einer gewissen Großartigkeit. Rechtshin grüne Wintersaat, so weit das Auge reichte, nur mit einzelnen Tümpeln, Häusern und Pappelweiden dazwischen, zur Linken aber die von Regengüssen hoch angeschwollene Oder, mehr ein Haff jetzt als ein Strom. Wütend kam der Südost vom jenseitigen Ufer herüber und trieb die graugelben Wellen mit solcher Gewalt an den Damm, daß es wie eine Brandung war. Und in eben dieser Brandung standen gekröpfte Weiden, nur noch den häßlichen Kopf über dem Wasser, während, auf der neumärkischen Seite, der blauschwarze Strich einer Kiefernwaldung in grellem, unheimlichem Sonnenscheine dalag.

Bis dahin war außer des Schulzen Anruf an den Kutscher kein Wort laut geworden, jetzt aber sagte Hradscheck, indem er sich zu den beiden hinter ihm Sitzenden umdrehte: »Der Wind wird ihn runtergeweht haben.«

»Unsinn!« lachte Woytasch, »Ihr müßt doch sehn, Hradscheck, der Wind kommt ja von da, von drüben. Wenn *der* schuld wäre, läg er hier rechts vom Damm und nicht nach links hin in der Oder ... Aber seht nur, da wanken ja schon welche herum und halten sich die Hüte fest. Fahr zu, daß wir nicht die letzten sind.«

Und eine Minute darauf hielten sie gerad an der Stelle, wo das Unglück sich zugetragen hatte. Wirklich, Orth war schon da, mit ihm ein paar seiner Mühlknechte, desgleichen Mietzel und Quaas, deren ausgebaute Gehöfte ganz in der Nähe lagen. Alles begrüßte sich und kletterte dann gemeinschaftlich den Damm hinunter, um unten genau zu sehen, wie's stünde. Die Böschung war glatt, aber man hielt sich an dem Werft- und Weidengestrüpp, das überall stand. Unten angekommen, sah man bestätigt, was von Anfang an niemand bezweifelt hatte: Szulskis Einspänner lag wie gekentert im Wasser, das Verdeck nach unten, die Räder nach oben; von dem Pferde sah man nur dann und wann ein von den Wellen überschäumtes Stück Hinterteil, während die Schere, darin es eingespannt gewesen, wie ein Wahrzeichen aus dem Strom aufragte. Den Mantelsack hatten die Wellen an den Damm gespült, und nur von Szulski selbst ließ sich nichts entdecken.

»Er ist nach Kienitz hin weggeschwemmt«, sagte Schulze Woytasch. »Aber weit weg kann er nicht sein; die Brandung geht ja schräg gegen den Damm.«

Und dabei marschierte man truppweise weiter, von Gestrüpp zu Gestrüpp, und durchsuchte jede Stelle.

»Der Pelz muß doch obenauf schwimmen.«

»Ja, der Pelz«, lachte Kunicke. »Wenn's bloß der Pelz wär. Aber der Pohlsche steckt ja drin.«

Es war der Kunickesche Trupp, der so plauderte, ganz wie bei Dachsgraben und Hühnerjagd, während der den andern Trupp führende Hradscheck mit einem Male rief: »Ah, da ist ja seine Mütze!«

Wirklich, Szulskis Pelzmütze hing an dem kurzen Geäst einer Kropfweide.

»Nun, haben wir *die*«, fuhr Hradscheck fort, »so werden wir ihn auch selber bald haben.«

»Wenn wir nur ein Boot hätten. Aber es kann hier nicht tief sein, und wir müssen immer peilen und Grund suchen.«

Und so geschah's auch. Aber alles Messen und Peilen half nichts, und es blieb bei der Mütze, die der eine der beiden Müllerknechte mittlerweile mit einem Haken herangeholt hatte. Zugleich wurde der Wind immer schneidender und kälter, so daß Kunicke, der noch von Möckern und Montmirail her einen Rheumatismus hatte, keine Lust mehr zur Fortsetzung verspürte. Schulze Woytasch auch nicht.

»Ich werde Gensdarm Geelhaar nach Kienitz und Güstebiese schicken«, sagte dieser. »Irgendwo muß er doch antreiben. Und dann wollen wir ihm ein ordentliches Begräbnis machen. Nicht wahr, Hradscheck? Die Hälfte kann die Gemeinde geben.«

»Und die andre Hälfte geben wir«, setzte Kunicke hinzu. »Denn wir sind doch eigentlich ein bißchen schuld. Oder eigentlich ganz gehörig. Er war gestern abend verdammt fißlig und man bloß noch soso. War er denn wohl katholsch?«

»Natürlich war er«, sagte Woytasch. »Wenn einer Szulski heißt und aus Krakau kommt, ist er katholsch. Aber das schadt nichts. Ich bin für Aufklärung. Der Alte Fritze war auch für Aufklärung. Jeder nach seiner Façon ...«

»Versteht sich«, sagte Kunicke. »Versteht sich. Und dann am Ende, wir wissen auch nicht, das heißt, ich meine, so ganz bestimmt wissen wir nicht, ob er ein Katholscher war oder nich. Un was man nich weiß, macht einen nich heiß. Nicht wahr, Quaas?«

»Nein, nein. Was man nicht weiß, macht einen nicht heiß. Und Quaasen auch nicht.«

Alle lachten, und selbst Hradscheck, der bis dahin eine würdige Zurückhaltung gezeigt hatte, stimmte mit ein.

Neuntes Kapitel

Der Tote fand sich nicht, der Wagen aber, den man mühevoll aus dem Wasser heraufgeholt hatte, wurde nach dem Dorf geschafft und in Kunickes große Scheune gestellt. Da stand er nun schon zwei Wochen, um entweder abgeholt oder auf Antrag der Krakauer Firma versteigert zu werden.

Im Dorfe gab es inzwischen viel Gerede, das aller Orten darauf hinauslief: »Es sei was passiert und es stimme nicht mit den Hradschecks. Hradscheck sei freilich ein feiner Vogel und Spaßmacher und könne Witzchen und Geschichten erzählen, aber er hab es hinter den Ohren, und was die Frau Hradscheck angehe, die vor Vornehmheit nicht sprechen könne, so wisse jeder, stille Wasser seien tief. Kurzum, es sei beiden nicht recht zu traun und der Pohlsche werde wohl ganz woanders liegen als in der Oder.« Zum Überfluß griff auch noch unser Freund, der Kantorssohn, der sich jedes Skandals mit Vorliebe bemächtigte, in die Saiten seiner Leier, und allabendlich, wenn die Knechte, mit denen er auf du und du stand, vom Kruge her durchs Dorf zogen, sangen sie nach bekannter Melodie:

»Morgenrot!
Abel schlug den Kain tot.
Gestern noch bei vollen Flaschen,
Morgens ausgeleerte Taschen
Und ein kühles, kühles Gra-ab.«

All dies kam zuletzt auch dem Küstriner Gericht zu Ohren, und wiewohl es nicht viel besser als Klatsch war, dem alles Beweiskräftige fehlte, so sah sich der Vorsitzende des Gerichts, Justizrat Vowinkel, doch veranlaßt, an seinen Duz- und Logenbruder Eccelius einige Fragen zu richten und dabei Erkundigungen über das Vorleben der Hradschecks einzuziehen.

Das war am 7. Dezember, und noch am selben Tage schrieb Eccelius zurück:

»Lieber Bruder. Es ist mir sehr willkommen, in dieser Sache das Wort nehmen und Zeugnis zu Gunsten der beiden Hradschecks ablegen zu können. Man verleumdet sie, weil man sie beneidet, besonders die Frau. Du kennst unsere Brücher; sie sind hochfahrend und steigern ihren Dünkel bis zum Haß gegen alles, was sich ihnen gleich oder wohl gar überlegen glaubt. Aber ad rem. Er, Hradscheck, ist kleiner Leute Kind aus Neu-Lewin und, wie sein Name bezeugt, von böhmischer Extraktion. Du weißt, daß Neu-Lewin in den achtziger Jahren mit böhmischen Kolonisten besetzt wurde. Doch dies beiläufig. Unsres Hradscheck Vater war Zimmermann, der, nach Art solcher Leute, den Sohn für dasselbe Handwerk bestimmte. Und unser Hradscheck soll denn auch wirklich als Zimmermann gewandert und in Berlin beschäftigt gewesen sein. Aber es mißfiel ihm, und so fing er, als er vor etwa fünfzehn Jahren nach Neu-Lewin zurückkehrte, mit einem Kramgeschäft an, das ihm auch glückte, bis er, um eines ihm unbequem werdenden ›Verhältnisses‹ willen, den Laden aufgab und den Entschluß faßte, nach Amerika zu gehen. Und zwar über Holland. Er kam aber nur bis ins Hannöversche, wo er, in der Nähe von Hildesheim, also katholische Gegend, in einer großen gasthausartigen Dorfherberge Quartier nahm. Hier traf es sich, daß an demselben Tage die seit Jahr und Tag in der Welt umhergezogene Tochter des Hauses, krank und elend von ihren Fahrten und Abenteuern – sie war mutmaßlich Schauspielerin gewesen –, zurückkam und eine furchtbare

Szene mit ihrem Vater hatte, der ihr nicht nur die bösesten Namen gab, sondern ihr auch Zuflucht und Aufnahme verweigerte. Hradscheck, von dem Unglück und wahrscheinlich mehr noch von dem eigenartigen und gewinnenden Wesen der jungen Frau gerührt, ergriff Partei für sie, hielt um ihre Hand an, was dem Vater wie der ganzen Familie nur gelegen kam, und heiratete sie, nachdem er seinen Auswanderungsplan aufgegeben hatte. Bald danach, um Martini herum, übersiedelten beide hierher, nach Tschechin, und schon am ersten Adventssonntage kam die junge Frau zu mir und sagte, daß sie sich zur Landeskirche halten und evangelisch getraut sein wolle. Was denn auch geschah und damals (es geht jetzt ins zehnte Jahr) einen großen Eindruck auf die Bauern machte. Daß der kleine Gott mit dem Bogen und Pfeil in dem Leben beider eine Rolle gespielt hat, ist mir unzweifelhaft, ebenso daß beide seinen Versuchungen unterlegen sind. Auch sonst noch, wie nicht bestritten werden soll, bleiben einige dunkle Punkte, trotzdem es an anscheinend offenen Bekenntnissen nie gefehlt hat. Aber wie dem auch sein möge, mir liegt es pflichtmäßig ob, zu bezeugen, daß es wohlanständige Leute sind, die, solang ich sie kenne, sich gut gehalten und allzeit in einer christlichen Ehe gelebt haben. Einzelnes, was ihm, nach der entgegengesetzten Seite hin, vor längrer oder kürzrer Zeit nachgesagt wurde, mag auf sich beruhn, um so mehr, als mir Sittenstolz und Tugendrichterei von Grund aus verhaßt sind. Die Frau hat meine besondere Sympathie. Daß sie den alten Aberglauben abgeschworen, hat sie mir, wie Du begreifen wirst, von Anfang an lieb und wert gemacht.«

Die Wirkung dieses Ecceliusschen Briefes war, daß das Küstriner Gericht die Sache vorläufig fallenließ; als demselben aber zur Kenntnis kam, »daß Nachtwächter Mewissen, nach neuerdings vor Schulze Woytasch gemachten Aussagen, an jenem Tage, wo das Unglück sich ereignete, so zwischen fünf und sechs (um die Zeit also, wo das Wetter am tollsten gewesen) die Frau Hradscheck zwischen den Pappeln an der Mühle gesehn haben wollte, ganz so, wie wenn sie halb verbiestert vom Damm her käme« – da waren die Verdachtsgründe gegen Hradscheck und seine Frau doch wieder so gewachsen, daß das Gericht einzuschreiten beschloß. Aber freilich auch jetzt noch unter Vermeidung jedes Eklats, weshalb Vowinkel an Eccelius, dem er ohnehin noch einen Dankesbrief schuldete, die folgenden Zeilen richtete:

»Habe Dank, lieber Bruder, für Deinen ausführlichen Brief vom 7. d. M., dem ich, soweit er ein Urteil abgibt, in meinem Herzen zustimme. Hradscheck ist ein durchaus netter Kerl, weit über seinen Stand hinaus, und Du wirst Dich entsinnen, daß er letzten Winter sogar in Vorschlag war, und zwar auf meinen speziellen Antrag. Das alles steht fest. Aber zu meinem Bedauern will die Geschichte mit dem Polen nicht aus der Welt, ja, die Verdachtsgründe haben sich gemehrt, seit neuerdings auch euer Mewissen gesprochen hat. Andrerseits freilich ist immer noch zu wenig Substanz da, um ohne weiteres eine Verhaftung eintreten zu lassen, weshalb ich vorhabe, die Hradscheckschen Dienstleute, die doch schließlich alles am besten wissen müssen, zu vernehmen und von *ihrer* Aussage mein weiteres Tun oder Nichttun abhängig zu machen. Unter allen Umständen aber wollen wir alles, was Aufsehn machen könnte, nach Möglichkeit vermeiden. Ich treffe morgen gegen 2 in Tschechin ein, fahre gleich bei Dir vor und bitte Dich, Sorge zu tragen, daß ich den Knecht Jakob samt den beiden andern Personen, deren Namen ich vergessen, in Deinem Hause vorfinde.«

So des Justizrats Brief. Er selbst hielt zu festgesetzter Zeit vor dem Pfarrhaus und trat in den Flur, auf dem die drei vorgeforderten Dienstleute schon standen. Vowinkel grüßte sie, sprach, in der Absicht, ihnen Mut zu machen, ein paar freundliche Worte zu jedem und ging dann, nachdem er sich aus seinem Mantel herausgewickelt, auf Eccelius' Studierstube zu, darin nicht nur der große schwarze Kachelofen, sondern auch der wohlarrangierte Kaffeetisch jeden Eintretenden überaus anheimelnd berühren mußte. Dies war denn auch bei Vowinkel der Fall. Er wies lachend darauf hin und sagte: »Vortrefflich, Freund. Höchst einladend. Aber ich denke, wir lassen das bis nachher. Erst das Geschäftliche. Das beste wird sein, *du* stellst die Fragen und ich begnüge mich mit der Beisitzer-Rolle. Sie werden dir unbefangener antworten als mir.« Dabei nahm er in einem neben dem Ofen stehenden hohen Lehnstuhle Platz, während Eccelius, auf den Flur hinaus, nach Ede rief und sich's nun erst, nach Erledigung aller Präliminarien, an seinem mächtigen Schreibtische bequem machte, dessen großes, zwischen einem Sand- und einem Tintenfaß stehendes Alabasterkreuz ihn von hinten her überragte.

Der Gerufene war inzwischen eingetreten und blieb an der Tür stehn. Er hatte sichtlich sein Bestes getan, um einen manierlichen Menschen aus sich zu machen, aber nur mit schwachem Erfolg. Sein brandrotes Haar lag großenteils blank an den Schläfen, während ihm das wenige, was ihm sonst noch verblieben war, nach Art einer Spitzflamme zu Häupten stand. Am schlimmsten aber waren seine winterlichen Hände, die, wie eine Welt für sich, aus dem überall zu kurz gewordenen Einsegnungsrock hervorsahen.

»Ede«, sagte der Pastor freundlich, »du sollst über Hradscheck und den Polen aussagen, was du weißt.«

Der Junge schwieg und zitterte.

»Warum sagst du nichts? warum zitterst du?«

»Ick jrul mi so.«

»Vor wem? Vor uns?«

Ede schüttelte mit dem Kopf.

»Nun, vor wem denn?«

»Vor Hradschecken ...«

Eccelius, der alles zu Gunsten der Hradschecks gewendet zu sehen wünschte, war mit dieser Aussage wenig zufrieden, nahm sich aber zusammen und sagte: »Vor Hradscheck. Warum vor Hradscheck? Was ist mit ihm? Behandelt er dich schlecht?«

»Nei.«

»Nu wie denn?«

»Ick weet nich ... He is so anners.«

»Nu gut. Anders. Aber das ist nicht genug, Ede. Du mußt uns mehr sagen. Worin ist er anders? Was tut er? Trinkt er? Oder flucht er? Oder ist er in Angst?«

»Nei.«

»Nu wie denn? Was denn?«

»Ick weet nich ... He is so anners.«

Es war ersichtlich, daß aus dem eingeschüchterten Jungen nichts weiter herauszubringen sein würde, weshalb Vowinkel dem Freunde zublinkte, die Sache fallenzulassen. Dieser brach denn auch wirklich ab und sagte: »Nun, es ist gut, Ede. Geh. Und schicke die Male herein.«

Diese kam und war in ihrem Kopf- und Brusttuch, das sie heute wie sonntäglich angelegt hatte, kaum wiederzuerkennen. Sie sah klar aus den Augen, war unbefangen und erklärte, nachdem Eccelius seine Frage gestellt hatte, daß sie nichts wisse. Sie habe Szulski gar nicht gesehn, »un ihrst um Klocker vier oder noch en beten danoah« wäre Hradscheck an ihre Kammertür gekommen und hätte gesagt, daß sie rasch aufstehn und Kaffee kochen solle. Das habe sie denn auch getan, und grad als sie den Kien gespalten, sei Jakob gekommen und hab ihr so im Vorübergehn gesagt, »daß er den Pohlschen geweckt habe; der Pohlsche hab aber 'nen Dodenschlaf gehabt und habe gar nich geantwortet. Und da hab er an die Dür gebullert.«

All das erzählte Male hintereinander fort, und als der Pastor zum Schlusse frug, ob sie nicht noch weiter was wisse, sagte sie: »Nein, weiter wisse sie nichts, oder man bloß noch das eine, daß die Kanne, wie sie das Kaffeegeschirr herausgeholt habe, beinah noch ganz voll gewesen sei. Und sei doch ein greuliches Wetter gewesen und kalt und naß. Und wenn sonst einer des Morgens abreise, so tränk er mehrstens oder eigentlich immer die Kanne leer, un von Zucker übriglassen wär gar keine Rede nich. Und manche nähmen ihn auch mit. Aber der Pohlsche hätte keine drei Schluck getrunken, und sei eigentlich alles noch so gewesen, wie sie's reingebracht habe. Weiter wisse sie nichts.«

Danach ging sie, und der dritte, der nun kam, war Jakob.

»Nun, Jakob, wie war es?« fragte Eccelius; »du weißt, um was es sich handelt. Was du Malen und mir schon vorher gesagt hast, brauchst du nicht zu wiederholen. Du hast ihn geweckt, und er hat nicht geantwortet. Dann ist er die Treppe heruntergekommen, und du hast gesehn, daß er sich an dem Geländer festhielt, als ob ihm das Gehn in dem Pelz schwer würde. Nicht wahr, so war es?«

»Joa, Herr Pastor.«

»Und weiter nichts?«

»Nei, wider nix. Un wihr man blot noch, dat he so 'n beten lütt utsoah, un …«

»Und was?«

»Un dat he so still wihr un seggte keen Wuhrd nich. Un as ick to em seggen deih: ›Na adjes, Herr Szulski‹, doa wihr he wedder so bumsstill un nickte man blot so.«

Nach dieser Aussage trat auch Jakob ab, und die Pfarrköchin brachte den Kaffee. Vowinkel nahm eine der Tassen und sagte, während er sich an das Fensterbrett lehnte: »Ja, Freund, die Sache steht doch schlimmer, als *du* wahrhaben möchtest, und fast auch schlimmer, als *ich* erwartete.«

»Mag sein«, erwiderte der Pastor. »Nach meinem Gefühl indes, das ich selbstverständlich deiner besseren Erfahrung unterordne, bedeuten all diese Dinge gar nichts oder herzlich wenig. Der Junge, wie du gesehn hast, konnte vor Angst kaum sprechen, und aus der Köchin Aussage war doch eigentlich nur das eine festzustellen, daß es Menschen gibt, die *viel*, und andre, die *wenig* Kaffee trinken.«

»Aber Jakob!«

Eccelius lachte. »Ja, Jakob. ›He wihr en beten to lütt‹, das war das eine, ›un he wihr en beten to still‹, das war das andre. Willst du daraus einen Strick für die Hradschecks drehn?«

»Ich will es nicht, aber ich fürchte, daß ich es muß. Jedenfalls haben sich die Verdachtsgründe durch das, was ich eben gehört habe, mehr gemehrt als gemindert, und ein Verfahren gegen den so mannigfach Belasteten kann nicht länger mehr hinausgeschoben werden. Er muß in Haft, wär es auch nur, um einer Verdunklung des Tatbestandes vorzubeugen.«

»Und die Frau?«

»Kann bleiben. Überhaupt werd ich mich auf das Nötigste beschränken, und um auch jetzt noch alles Aufsehen zu vermeiden, hab ich vor, ihn auf meinem Wagen, als ob es sich um eine Spazierfahrt handelte, mit nach Küstrin zu nehmen.«

»Und wenn er nun schuldig ist, wie du beinah glaubst oder wenigstens für möglich hältst? Ist dir eine solche Nachbarschaft nicht einigermaßen ängstlich?«

Vowinkel lachte. »Man sieht, Eccelius, daß du kein Kriminalist bist. Schuld und Mut vertragen sich schlecht zusammen. Alle Schuld lähmt.«

»Nicht immer.«

»Nein, nicht immer. Aber doch meist. Und allemal da, wo das Gesetz schon über ihr ist.«

Zehntes Kapitel

Die Verhaftung Hradschecks erfolgte zehn Tage vor Weihnachten. Jetzt war Mitte Januar, aber die Küstriner Untersuchung rückte nicht von der Stelle, weshalb es in Tschechin und den Nachbardörfern hieß: »Hradscheck werde mit nächstem wieder entlassen werden, weil nichts gegen ihn vorliege.« Ja, man begann auf das Gericht und den Gerichtsdirektor zu schelten, wobei sich's selbstverständlich traf, daß alle die, die vorher am leidenschaftlichsten von einer Hinrichtung geträumt hatten, jetzt in Tadeln und Schmähen mit gutem Beispiel vorangingen.

Vowinkel hatte viel zu dulden; kein Zweifel. Am ausgiebigsten in Schmähungen aber war man gegen die

Zeugen, und der Angriffe gegen diese wären noch viel mehr gewesen, wenn man nicht gleichzeitig über sie gelacht hätte. Der dumme Ladenjunge, der Ede, so versicherte man sich gegenseitig, könne doch nicht für voll angesehen werden und die Male mit ihren Sommersprossen und ihrem nicht ausgetrunkenen Kaffee womöglich noch weniger. Daß man bei den Hradschecks oft einen wunderbaren Kaffee kriege, das wisse jeder, und wenn alle die, die das durchgetrichterte Zichorienzeug stehnließen, auf Mord und Totschlag hin verklagt und eingezogen werden sollten, so säße bald das halbe Bruch hinter Schloß und Riegel. »Aber Jakob und der alte Mewissen?« hieß es dann wohl. Indes auch von diesen beiden wollte die plötzlich zugunsten Hradschecks umgestimmte Majorität nichts wissen. Der dußlige Jakob, von dem jetzt so viel gemacht werde, ja, was hab er denn eigentlich beigebracht? Doch nichts weiter als das ewige »He wihr so ’n beten still.« Aber du lieber Himmel, wer habe denn Lust, um Klock fünf und bei steifem Südost einen langen Schnack zu machen? Und nun gar der alte Mewissen, der, solang er lebe, den Himmel für einen Dudelsack angesehen habe? Wahrhaftig, der könne viel sagen, eh man’s zu glauben brauche. »Mit einem karierten Tuch über dem Kopf. Und wenn’s kein kariertes Tuch gewesen, dann sei’s eine Pferdedecke gewesen.« Oh, du himmlische Güte! Mit einer Pferdedecke! Die Hradscheck mit einer Pferdedecke! Gibt es Pferdedecken ohne Flöhe? Nein. Und nun gar diese schnippsche Prise, die sich ewig mit ihrem türkischen Shawl herumziert und noch ötepotöter is als die Reitweinsche Gräfin!

So ging das Gerede, das sich, an und für sich schon günstig genug für Hradscheck, in Folge kleiner Vorkommnisse mit jedem neuen Tage günstiger gestaltete. Darunter war eins von besondrer Wirkung. Und zwar das folgende. Heiligabend war ein Brief Hradschecks bei Eccelius eingetroffen, worin es hieß: »es ging’ ihm gut, weshalb er sich auch freuen würde, wenn seine Frau zum Fest herüberkommen und eine Viertelstunde mit ihm plaudern wolle; Vowinkel hab es eigens gestattet, versteht sich, in Gegenwart von Zeugen«. So die briefliche Mitteilung, auf welche Frau Hradscheck, als sie durch Eccelius davon gehört, diesem letzteren sofort geantwortet hatte: »Sie werde diese Reise *nicht* machen, weil sie nicht wisse, wie sie sich ihrem Manne gegenüber zu benehmen habe. Wenn er schuldig sei, so sei sie für immer von ihm geschieden, einmal um ihrer selbst, aber mehr noch um ihrer Familie willen. Sie wolle daher lieber zum Abendmahl gehn und ihre Sache vor Gott tragen und bei der Gelegenheit den Himmel inständigst bitten, ihres Mannes Unschuld recht bald an den Tag zu bringen.« So was hörten die Tschechiner gern, die sämtlich höchst unfromm waren, aber nach Art der meisten Unfrommen einen ungeheuren Respekt vor jedem hatten, der »lieber zum Abendmahl gehn und seine Sache vor Gott tragen« als nach Küstrin hin reisen wollte.

Kurzum, alles stand gut, und es hätte sich von einer totalen »Rückeroberung« des dem Inhaftierten anfangs durchaus abgeneigten Dorfes sprechen lassen, wenn nicht *ein* Unerschütterlicher gewesen wäre, der, sobald Hradschecks Unschuld behauptet wurde, regelmäßig versicherte: »Hradscheck? *Den* kenn ich. *Der* muß ans Messer.«

Dieser Unerschütterliche war niemand Geringeres als Gensdarm Geelhaar, eine sehr wichtige Person im Dorf, auf deren Autorität hin die Mehrheit sofort geschworen hätte, wenn ihr nicht seine bittre Feindschaft gegen Hradscheck und die kleinliche Veranlassung dazu bekannt gewesen wäre. Geelhaar, guter Gensdarm, aber noch besserer Saufaus, war, um Kognaks und Rums willen, durch viele Jahre hin ein Intimus bei Hradscheck gewesen, bis dieser eines Tages, des ewigen Gratis-Einschenkens müde, mit mehr Übermut als Klugheit gesagt hatte: »Hören Sie, Geelhaar, Rum ist gut. Aber Rum kann einen auch rumbringen.« Auf welche Provokation hin (Hradscheck liebte dergleichen Witze) der sich nun plötzlich aufs hohe Pferd setzende Geelhaar mit hochrotem Gesicht geantwortet hatte: »Gewiß, Herr Hradscheck. Was kann einen nich alles rumbringen? Den einen dies, den andern das. Und mit Ihnen, mein lieber Herr, is auch noch nicht aller Tage Abend.«

Von der aus diesem Zwiegespräch entstandenen Feindschaft wußte das ganze Dorf, und so kam es, daß man nicht viel darauf gab und im wesentlichen bloß lachte, wenn Geelhaar zum hundertsten Male versicherte: »*Der*? Der muß ans Messer.«

»Der muß ans Messer«, sagte Geelhaar, aber in Tschechin hieß es mit jedem Tage mehr: »Er kommt wieder frei.«

Und »He kümmt wedder rut« hieß es auch im Hause der alten Jeschke, wo die blonde Nichte, die Line – dieselbe, nach der Hradscheck bei seinen Gartenbegegnungen mit der Alten immer zu fragen pflegte –, seit Weihnachten zum Besuch war und an einer Ausstattung, wenn auch freilich nicht an ihrer eigenen, arbeitete. Sie war eine hervorragend kluge Person, die, trotzdem sie noch keine siebenundzwanzig zählte, sich in den verschiedensten Lebensstellungen immer mit Glück versucht hatte: früh schon als Kinder- und Hausmädchen, dann als Nähterin und schließlich als Pfarrköchin in einem neumärkischen Dorf, in welch letztrer Eigenschaft sie nicht nur sämtliche Betstunden mitgemacht, sondern sich auch durch einen exemplarisch sittlichen Lebenswandel ausgezeichnet hatte. Denn sie gehörte zu denen, die, wenn engagiert, innerhalb ihres Engagements alles Geforderte leisten, auch Gebet, Tugend und Treue.

Solcher Forderungen entschlug sich nun freilich die Jeschke, die vielmehr, wenn sie den Faden von ihrem Wocken spann, immer nur Geschichten von begünstigten und genasführten Liebhabern hören wollte, besonders von einem Küstriner Fourage-Beamten, der drei Stunden lang im Schnee hatte warten müssen. Noch dazu vergeblich. All das freute die Jeschke ganz ungemein, die dann regelmäßig hinzusetzte: »Joa, Line, so wihr ick ook. Awers moak et man nich to dull.« Und dann antwortete diese: »Wie werd ich denn, Mutter Jeschke!« Denn sie nannte sie nie Tante, weil sie sich der nahen Verwandtschaft mit der alten Hexe schämen mochte.

Plaudern war beider Lust. Und plaudernd saßen beide Weibsen auch heute wieder.

Es war ein ziemlich kalter Tag, und draußen lag fußhoher Schnee. Drinnen aber war es behaglich, das Rotkehlchen zwitscherte, die Wanduhr ging in starkem Schlag, und der Kachelofen tat das Seine. Dem Ofen zunächst aber hockte die Jeschke, während Line weitab an dem ganz mit Eisblumen überdeckten Fenster saß und sich ein Kuckloch gepustet hatte, durch das sie nun bequem sehen konnte, was auf der Straße vorging.

»Da kommt ja Gensdarm Geelhaar«, sagte sie. »Grad über den Damm. Er muß drüben bei Kunicke gewesen sein. Versteht sich, Kunicke frühstückt um diese Zeit. Und sieht auch so rot aus. Was er nur will? Er wird am Ende der armen Frau, der Hradschecken, einen Besuch machen wollen. Is ja schon vier Wochen Strohwitwe.«

»Nei, nei«, lachte die Alte. »Dat deiht he nich. Dem is joa sien ejen all to veel, so lütt se is. Ne, ne, den kenn ick. Geelhaar is man blot noch för so.«

Und dabei machte sie die Bewegung des Aus-der-Flasche-Trinkens.

»Hast recht«, sagte Line. »Sieh, er kommt grad auf unser Haus zu.«

Und wirklich, unter diesem Gespräch, wie's die Jeschke mit ihrer Nichte geführt hatte, war Geelhaar von der Dorfstraße her in einen schmalen, bloß mannsbreiten Gang eingetreten, der, an der Hradscheckschen Kegelbahn entlang, in den Garten der alten Jeschke führte.

Von hier aus war auch der Eingang in das Häuschen der Alten, das mit seinem Giebel nach der Straße stand.

»Guten Tag, Mutter Jeschke«, sagte der Gensdarm. »Ah, und guten Tag, Lineken. Oder ich muß jetzt wohl sagen Mamsell Linchen.«

Line, die den stattlichen Geelhaar (er hatte bei den Gardekürassieren gedient), aller despektierlichen Andeutungen der Alten ungeachtet, keineswegs aus ihrer Liste gestrichen hatte, stemmte sofort den linken Fuß gegen einen ihr gegenüberstehenden Binsenstuhl und sah ihn zwinkernd über das große Stück Leinwand hin an, das sie, wie wenn sie's abmessen wollte, mit einem energischen Ruck und Puff vor sich ausspannte.

Die Wirkung dieser kleinen Künste blieb auch nicht aus. So wenigstens schien es Linen. Die Jeschke dagegen wußt es besser, und als Geelhaar auf ihre mit Vorbedacht in Hochdeutsch gesprochene Frage, »was ihr denn eigentlich die Ehre verschaffe«, mit einem scherzhaft gemeinten Fingerzeig auf Line geantwortet hatte, lachte sie nur und sagte:

»Nei, nei, Herr Gensdarm. Ick weet schon, ick weet schon … Awers nu setten S' sich ihrst … Joa, diss' Hradscheck … he kümmt joa nu wedder rut.«

»Ja, Mutter Jeschke«, wiederholte Geelhaar, »he kümmt nu wedder rut. Das heißt, er kommt wieder raus, wenn er nich drin bleibt.«

»Woll, woll. Wenn he nicht drin bliewt. Awers worümm sall he drin bliewen? Keen een hett joa wat siehn, un keen een hett joa wat utfunn'n. Un Se ook nich, Geelhaar.«

»Nein«, sagte der Gensdarm. »Ich auch nich. Aber es wird sich schon was finden oder doch finden lassen, und dazu müssen Sie helfen, Mutter Jeschke. Ja, ja. Soviel weiß ich, die Hradscheck hat schon lange keinen Schlaf mehr und ist immer treppauf und treppab. Und wenn die Leute sagen, es sei bloß, weil sie sich um den Mann gräme, so sag ich: Unsinn, *er* is nich so und *sie* is nich so.«

»Nei, nei«, wiederholte die Jeschke. »He is nich so un se is nich so. De Hradschecks, nei, de sinn nich so.«

»Keinen ordentlichen Schlaf also«, fuhr Geelhaar fort, »nich bei Tag und auch nich bei Nacht, und wankt immer so rum und is mal im Hof und mal im Garten. Das hab ich von der Male … Hören Sie, Mutter Jeschke, wenn ich so mal nachtens hier auf Posten stehen könnte! Das wäre so was. Line bleibt mit auf, und wir setzen uns dann ans Fenster und wachen und kucken. Nich wahr, Line?«

Line, die schon vorher das Weißzeug beiseite gelegt und ihren blonden Zopf halb aufgeflochten hatte, schlug jetzt mit dem losen Büschel über ihre linke Hand und sagte: »Will es mir noch überlegen, Herr Geelhaar. Ein armes Mädchen hat nichts als seinen Ruf.«

Und dabei lachte sie.

»Kümmen S' man, Geelhaar«, tröstete die Jeschke, trotzdem Trost eigentlich nicht nötig war. »Kümmen S' man. Ick geih to Bett. Wat doa to siehn is, ick meen hier buten, dat hebb ick siehn, dat weet ick all. Un is ümmer dat Sülwigte.«

»Dat Sülwigte?«

»Joa. Nu nich mihr. Awers as noch keen Snee wihr. Doa ...«

»Da. Was denn?«

»Doa wihr se nachtens ümmer so rümm hier.«

»So, so«, sagte der Gensdarm und tat vorsichtig allerlei weitere Fragen. Und da sich die Jeschke von guten Beziehungen zur Dorfpolizei nur Vorteile versprechen konnte, so wurde sie trotz aller sonstigen Zurückhaltung immer mitteilsamer und erzählte dem Gensdarmen Neues und Altes, namentlich auch das, was sie damals, in der stürmischen Novembernacht, von ihrer Küchentür aus beobachtet hatte. Hradscheck habe lang dagestanden, ein flackrig Licht in der Hand. »Un wihr binoah so, as ob he wull, dat man em seihn sull.« Und dann hab er einen Spaten genommen und sei bis an den Birnbaum gegangen. Und da hab er ein Loch gegraben. An der Gartentür aber habe was gestanden wie ein Koffer oder Korb oder eine Kiste. Was? das habe sie nicht genau sehen können. Und dann hab er das Loch wieder zugeschüttet.

Geelhaar, der sich bis dahin, allem Diensteifer zum Trotz, ebensosehr mit Line wie mit Hradscheck beschäftigt hatte, ja, vielleicht mehr noch Courmacher als Beamter gewesen war, war unter diesem Bericht sehr ernsthaft geworden und sagte, während er mit Wichtigkeitsmiene seinen gedunsenen Kopf hin und her wiegte: »Ja, Mutter Jeschke, das tut mir leid. Aber es wird Euch Ungelegenheiten machen.«

»Wat? wat, Geelhaar?«

»Ungelegenheiten, weil Ihr damit so spät herauskommt.«

»Joa, Geelhaar, wat sall dat? wat mienen S' mit ›to spät‹? Et hett mi joa keener nich froagt. Un Se ook nich. Un wat weet ick denn ook? Ick weet joa nix. Ick weet joa joar nix.«

»Ihr wißt genug, Mutter Jeschke.«

»Nei, nei, Geelhaar. Ick weet joar nix.«

»Das ist gerade genug, daß einer nachts in seinem Garten ein Loch gräbt und wieder zuschüttet.«

»Joa, Geelhaar, ick weet nich, awers jed' een möt doch in sien ejen Goarden en Loch buddeln künn'.«

»Freilich. Aber nicht um Mitternacht und nicht bei solchem Wetter.«

»Na, rieden S' mi man nich rin. Un moaken Se't good mit mi … Line, Line, segg doch ook wat.«

Und wirklich, Line trat in Folge dieser Aufforderung an den Gensdarmen heran und sagte, tief aufatmend, wie wenn sie mit einer plötzlichen und mächtigen Sinnenerregung zu kämpfen hätte: »Laß nur, Mutter Jeschke. Herr Geelhaar wird schon wissen, was er zu tun hat. Und wir werden es auch wissen. Das versteht sich doch von selbst. Nicht wahr, Herr Geelhaar?«

Dieser nickte zutraulich und sagte mit plötzlich verändertem und wieder freundlicher werdendem Tone: »Werde schon machen, Mamsell Line. Schulze Woytasch läßt ja, Gott sei Dank, mit sich reden und Vowinkel auch. Hauptsach is, daß wir den Fuchs überhaupt ins Eisen kriegen. Un is dann am Ende gleich, *wann* wir ihn haben und ob ihm der Balg heut oder morgen abgezogen wird.«

Elftes Kapitel

Vierundzwanzig Stunden später kam – und zwar auf die Meldung hin, die Geelhaar, gleich nach seinem Gespräche mit der Jeschke, bei der Behörde gemacht hatte – von Küstrin her ein offener Wagen, in dem, außer dem Kutscher, der Justizrat und Hradscheck saßen. Die Luft ging scharf, und die Sonne blendete, weshalb Vowinkel, um sich gegen beides zu schützen, seinen Mantel aufgeklappt, der Kutscher aber seinen Kopf bis an Nas und Ohren in den Pelzkragen hineingezogen hatte. Nur Hradscheck saß frei da, Luft und Licht, deren er seit länger als vier Wochen entbehrt hatte, begierig einsaugend. Der Wagen fuhr auf der Dammhöhe, von der aus sich das unten liegende Dorf bequem überblicken und beinah jedes einzelne Haus in aller Deutlichkeit erkennen ließ. Das da, mit dem schwarzen, teergestrichenen Gebälk, war das Schulhaus, und das gelbe, mit dem gläsernen Aussichtsturm, mußte Kunickes sein, Kunickes »Villa«, wie die Tschechiner es spöttisch nannten. Das niedrige grad gegenüber aber, das war seine, das sah er an dem Birnbaum, dessen schwarzes Gezweig über die mit Schnee bedeckte Dachfläche wegragte. Vowinkel bemerkte wohl, wie Hradscheck sich unwillkürlich auf seinem Sitze hob, aber nichts von Besorgnis drückte sich in seinen Mienen und Bewegungen aus, sondern nur Freude, seine Heimstätte wiederzusehen.

Im Dorfe selbst schien man der Ankunft des justizrätlichen Wagens schon entgegengesehen zu haben. Auf dem Vorplatz der Igelschen Brett- und Schneidemühle, die man, wenn man von der Küstriner Seite her kam, als erstes Gehöft zu passieren hatte (geradeso wie das Orthsche nach der Frankfurter Seite hin), stand der alte Brett- und Schneidemüller und fegte mit einem kurzen storrigen Besen den Schnee von der obersten Bretterlage fort, anscheinend aufs eifrigste mit dieser seiner Arbeit beschäftigt, in Wahrheit aber nur begierig, den herankommenden Hradscheck eher als irgendein anderer im Dorf gesehen zu haben. Denn

Schneidemüller Igel, oder der »Schneidigel«, wie man ihn kurzweg und in der Regel mit absichtlich undeutlicher Aussprache nannte, war ein Topfkucker. Aber so topfkuckrig er war, so stolz und hochmütig war er auch, und so wandt er sich in demselben Augenblicke, wo der Wagen an ihm vorüberfuhr, rasch wieder auf sein Haus zu, bloß um nicht grüßen zu müssen. Hier nahm er, um seine Neugier, deren er sich schämen mochte, vor niemandem zu verraten, Hut und Stock mit besonderer Langsamkeit vom Riegel und folgte dann dem Wagen, den er übrigens bald danach schon vor dem Hradscheckschen Hause vorfahren sah.

Frau Hradscheck war nicht da. Statt ihrer übernahm es Kunicke, den sie darum gebeten haben mochte, den Wirt und sozusagen die Honneurs des Hauses zu machen. Er führte denn auch den Justizrat vom Flur her in den Laden und von diesem in die dahinter befindliche Weinstube, wo man einen Imbiß bereitgestellt hatte. Vowinkel nahm aber, unter vorläufiger freundlicher Ablehnung, nur ein kleines Glas Portwein und trat dann in den Garten hinaus, wo sich bereits alles, was zur Dorfobrigkeit gehörte, versammelt hatte: Schulze Woytasch, Gensdarm Geelhaar, Nachtwächter Mewissen und drei bäuerliche Gerichtsmänner. Geelhaar, der, zur Feier des Tages, seinen Staats-Czako mit dem armslangen schwarzen Lampenputzer aufgesetzt hatte, ragte, mit Hilfe dieser Paradezutaten, um fast drei Haupteslängen über den Rest aller Anwesenden hinaus. Das war der innere Zirkel. Im weitern Umkreis aber standen die, die bloß aus Neugier sich eingefunden hatten, darunter der schon stark gefrühstückte Kantorssohn und Dorfdichter, während einige zwanzig eben aus der Schule herangekommene Jungens mit ihren Klapp-Pantinen auf das Kegelhaus geklettert waren, um von hier aus Zeuge zu sein, was wohl bei der Sache herauskommen würde. Vorläufig indes begnügten sie sich damit, Schneebälle zu machen, mit denen sie nach den großen und kleinen Mädchen warfen, die hinter dem Gartenzaun der alten Jeschke standen. Alles plapperte, lachte, reckte den Hals, und wäre nicht Hradscheck selbst gewesen, der, die Blicke seiner alten Freunde vermeidend, ernst und schweigend vor sich hin sah, so hätte man glauben können, es sei Kirmes oder eine winterliche Jahrmarktsszene.

Die Gerichtsmänner flüsterten und steckten die Köpfe zusammen, während Woytasch und Geelhaar sich umsahen. Es schien noch etwas zu fehlen, was auch zutraf. Als aber bald danach der alte Totengräber Wonnekamp mit noch zwei von seinen Leuten erschien, rückte man näher an den Birnbaum heran und begann den Schnee, der hier lag, fortzuschippen. Das ging leicht genug, bis statt des Schnees die gefrorne Erde kam, wo nun die Pickaxt aushelfen mußte. Der Frost indessen war nicht tief in die Erde gedrungen, und so konnte man den Spaten nicht nur bald wieder zur Hand nehmen, sondern kam auch rascher vorwärts, als man anfangs gehofft hatte. Die herausgeworfenen Schollen und Lehmstücke wurden immer größer, je weicher der Boden wurde, bis mit einem Male der alte Totengräber einem der Arbeiter in den Arm fiel und mit der seinem Stande zuständigen Ruhe sagte: »Nu giw mi moal; nu kümmt wat.« Dabei nahm er ihm das Grabscheit ohne weiteres aus der Hand und fing selber an zu graben. Aber ersichtlich mit großer Vorsicht. Alles drängte vor und wollte sehn. Und siehe da, nicht lange, so war ein Toter aufgedeckt, der zu großem Teile noch in Kleiderresten steckte. Die Bewegung wuchs, und aller Augen richteten sich auf Hradscheck, der, nach wie vor, vor sich hin sah und nur dann und wann einen scheuen Seitenblick in die Grube tat.

»Nu hebben se 'n«, lief ein Gemurmel den Gartenzaun entlang, unklar lassend, ob man Hradscheck oder den Toten meine; die Jungens auf dem Kegelhäuschen aber reckten ihre Hälse noch mehr als vorher, trotzdem sie weder nah noch hoch genug standen, um irgendwas sehn zu können.

Eine Pause trat ein. Dann nahm der Justizrat des Angeklagten Arm und sagte, während er ihn dicht an die Grube führte: »Nun, Hradscheck, was sagen Sie?«

Dieser verzog keine Miene, faltete die Hände wie zum Gebet und sagte dann fest und feierlich: »Ich sage, daß dieser Tote meine Unschuld bezeugen wird.«

Und während er so sprach, sah er zu dem alten Totengräber hinüber, der den Blick auch verstand und, ohne weitere Fragen abzuwarten, geschäftsmäßig sagte: »Ja, der hier liegt, liegt hier schon lang. Ich denke zwanzig Jahre. Und der Pohlsche, der es sein soll, is noch keine zehn Wochen tot.«

Und siehe da, kaum daß diese Worte gesprochen waren, so war ihr Inhalt auch schon bewiesen, und jeder schämte sich, so wenig kaltes Blut und so wenig Umsicht und Überlegung gehabt zu haben. In einem gewissen Entdeckungseifer waren alle wie blind gewesen und hatten unbeachtet gelassen, daß ein Schädel, um ein richtiger Schädel zu werden, auch sein Stück Zeit verlangt und daß die Toten ihre Verschiedenheiten und ihre Grade haben, geradesogut wie die Lebendigen.

Am verlegensten war der Justizrat. Aber er sammelte sich rasch und sagte: »Totengräber Wonnekamp hat recht. Das ist nicht der Tote, den wir suchen. Und wenn er zwanzig Jahre in der Erde liegt, was ich keinen Augenblick bezweifle, so kann Hradscheck an diesem Toten keine Schuld haben. Und kann auch von einer früheren Schuld keine Rede sein. Denn Hradscheck ist erst im zehnten Jahr in diesem Dorf. Das alles ist jetzt erwiesen. Trotz alledem bleiben ein paar dunkle Punkte, worüber Aufklärung gegeben werden muß. Ich lebe der Zuversicht, daß es an dieser Aufklärung nicht fehlen wird, aber ehe sie gegeben ist, darf ich Sie, Herr Hradscheck, nicht aus der Untersuchung entlassen. Es wird sich dabei, was ich als eine weitere Hoffnung hier ausspreche, nur noch um Stunden und höchstens um Tage handeln.«

Und damit nahm er Kunickes Arm und ging in die Weinstube zurück, woselbst er nunmehr, in Gesellschaft von

Woytasch und den Gerichtsmännern, dem für ihn servierten Frühstücke tapfer zusprach. Auch Hradscheck ward aufgefordert, sich zu setzen und einen Imbiß zu nehmen. Er lehnte jedoch ab und sagte, daß er mit seiner Mahlzeit lieber warten wolle, bis er im Küstriner Gefängnis sei.

So waren seine Worte.

Und diese Worte gefielen den Bauern ungemein. »Er will nicht an seinem eignen Tisch zu Gaste sitzen und das Brot, das er gebacken, nicht als Gnadenbrot essen. Da hat er recht. Das möcht ich auch nicht.«

So hieß es, und so dachten die meisten.

Aber freilich nicht alle.

Gensdarm Geelhaar ging an dem Zaun entlang, über den, samt andrem Weibervolk, auch Mutter Jeschke weggekuckt hatte. Natürlich auch Line.

Geelhaar tippte dieser mit dem Finger auf den Dutt und sagte: »Nu, Line, was macht der Zopf?«

»Meiner?« lachte diese. »Hören S', Herr Gensdarm, jetzt kommt *Ihrer* an die Reih.«

»Wird so schlimm nicht werden, Lineken ... Und Mutter Jeschke, was sagt die dazu?«

»Joa, wat sall se seggen? He is nu wedder rut. Awers he kümmt ook woll wedder rin.«

Zwölftes Kapitel

Eine Woche war vergangen, in der die Tschechiner viel erlebt hatten. Das Wichtigste war: Hradscheck, nachdem er noch ein Küstriner Schlußverhör durchgemacht hatte, war wieder da. Schlicht und unbefangen, ohne Lücken und Widersprüche, waren die Dunkelheiten aufgeklärt worden, so daß an seiner Unschuld nicht länger zu zweifeln war. Es seien ihm, so hieß es in seiner vor Vowinkel gemachten Aussage, durch Unachtsamkeit, deren er sich selber zu zeihen habe, mehrere große Speckseiten verdorben, und diese möglichst unbemerkt im Garten zu vergraben, hab er an jenem Tage vorgehabt. Er sei denn auch, gleich nachdem seine Gäste die Weinstube verlassen hätten, ans Werk gegangen und habe, genauso wie's die Jeschke gesehn und erzählt, an dem alten Birnbaum ein Loch zu graben versucht; als er aber erkannt habe, daß da was verscharrt liege, ja, dem Anscheine nach ein Toter, hab ihn eine furchtbare Angst gepackt, in Folge deren er nicht weiter gegraben, sondern das Loch rasch wieder zugeschüttet habe. Der Koffer, den die Jeschke gesehen haben wolle, das seien eben jene Speckseiten gewesen, die, dicht übereinandergepackt, an der Gartentür gelegen hätten. »Aber wozu die Heimlichkeit und die Nacht?« hatte Vowinkel nach dieser Erklärung etwas spitz gefragt, worauf Hradscheck, in seiner Erzählung fortfahrend, ohne Verlegenheit und Unruhe geantwortet hatte: »Zu dieser Heimlichkeit seien für ihn zwei Gründe gewesen. Erstens hab er sich die Vorwürfe seiner Frau, die nur zu geneigt sei, von seiner Unachtsamkeit in Geschäftsdingen zu sprechen, ersparen wollen. Und er dürfe wohl hinzusetzen, wer verheiratet sei, der kenne das und wisse nur zu gut, wie gerne man sich solchen Anklagen und Streitszenen entziehe. Der zweite Grund aber sei noch wichtiger gewesen: die Rücksicht auf die Kundschaft. Die Bauern, wie der Herr Justizrat ja wisse, seien die schwierigsten Leute von der Welt, ewig voll Mißtrauen, und wenn sie derlei Dinge, wie Schinken und Speck, auch freilich nicht in seinem Laden zu kaufen pflegten, weil sie ja genug davon im eignen Rauch hätten, so zögen sie doch gleich Schlüsse vom einen aufs andre. Dergleichen hab er mehr als einmal durchgemacht und dann wochenlang aller Ecken und Enden hören müssen, er passe nicht auf. Ja, noch letzten Herbst, als ihm ganz ohne seine Schuld eine Tonne Heringe tranig geworden sei, habe Schneidigel überall im Dorfe geputscht und unter anderm zu Quaas und Kunicke gesagt: ›Uns wird er damit nicht kommen; aber die kleinen Leute, die, die …‹«

Der Justizrat hatte hierbei gelächelt und zustimmend genickt, weil er die Bauern fast so gut wie Hradscheck kannte, so daß, nach Erledigung auch *dieses* Punktes, eigentlich nichts übriggeblieben war als die Frage, »was denn nun, unter so bewandten Umständen, aus dem durchaus zu beseitigenden Speck geworden sei?« Welche Frage jedoch nur dazu beigetragen hatte, Hradschecks Unschuld vollends ins Licht zu stellen. »Er habe die Speckseiten an demselben Morgen noch an einer anderen Gartenstelle verscharrt; gleich nach Szulskis Abreise.« – »Nun, wir werden ja sehn«, hatte Vowinkel hierauf geantwortet und einen seiner Gerichtsdiener abgeschickt, um sich in Tschechin selbst über die Richtigkeit oder Unrichtigkeit dieser Aussage zu vergewissern. Und als sich nun in kürzester Frist alles bestätigt oder mit anderen Worten der vergrabene Speck wirklich an der von Hradschek angegebenen Stelle gefunden hatte, hatte man das Verfahren eingestellt, und an demselben Nachmittage noch war der unter so schwerem Verdacht Gestandene nach Tschechin zurückgekehrt und in einer stattlichen Küstriner Mietschaise vor seinem Hause vorgefahren. Ede, ganz verblüfft, hatte nur noch Zeit gefunden, in die Wohnstube, darin sich Frau Hradscheck befand, hineinzurufen: »Der Herr, der Herr ...«, worauf Hradscheck selbst mit der ihm eigenen Jovialität und unter dem Zurufe »Nun, Ede, wie geht's?« in den Flur seines Hauses eingetreten, aber freilich im selben Augenblick auch wieder mit einem erschreckten »Was is, Frau?« zurückgefahren war. Ein Ausruf, den er wohl tun durfte. Denn gealtert, die Augen tief eingesunken und die Haut wie Pergament, so war ihm Ursel unter der Tür entgegengetreten.

Hradscheck war da, das war das *eine* Tschechiner Ereignis. Aber das andere stand kaum dahinter zurück: Eccelius hatte, den Sonntag darauf, über Sacharja 7, Vers 9 und 10 gepredigt, welche Stelle lautete: »*So* spricht der Herr Zebaoth: Richtet recht, und ein jeglicher beweise an seinem Bruder Güte und Barmherzigkeit. Und tuet nicht Unrecht den *Fremdlingen*, und denke keiner wider seinen

Bruder etwas Arges in seinem Herzen.« Schon bei Lesung des Textes und der sich daran knüpfenden Einleitungsbetrachtung hatten die Bauern aufgehorcht; als aber der Pastor das Allgemeine fallenließ und, ohne Namen zu nennen, den Hradscheckschen Fall zu schildern und die Trüglichkeit des Scheines nachzuweisen begann, da gab sich eine Bewegung kund, wie sie seit dem Sonntag (es ging nun ins fünfte Jahr), an welchem Eccelius auf die schweren sittlichen Vergehen eines als Bräutigam vor dem Altar stehenden reichen Bauernsohnes hingewiesen und ihn zu besserem Lebenswandel ermahnt hatte, nicht mehr dagewesen war. Beide Hradschecks waren in der Kirche zugegen und folgten jedem Worte des Geistlichen, der heute viel Bibelsprüche zitierte, mehr noch als gewöhnlich.

Es war unausbleiblich, daß diese Rechtfertigungsrede zugleich zur Anklage gegen alle diejenigen wurde, die sich in der Hradscheck-Sache so wenig freundnachbarlich benommen und durch allerhand Zuträgereien entweder ihr Übelwollen oder doch zum mindesten ihre Leichtfertigkeit und Unüberlegtheit gezeigt hatten. Wer in erster Reihe damit gemeint war, konnte nicht zweifelhaft sein, und vieler Augen, nur nicht die der Bauern, die, wie herkömmlich, keine Miene verzogen, richteten sich auf die mitsamt ihrem »Lineken« auf der vorletzten Bank sitzende Mutter Jeschke, der Kanzel grad gegenüber, dicht unter der Orgel. Line, sonst ein Muster von Nichtverlegenwerden, wußte doch heute nicht wohin und verwünschte die alte Hexe, neben der sie das Kreuzfeuer so vieler Augen aushalten mußte. Mutter Jeschke selbst aber nickte nur leise mit dem Kopf, wie wenn sie jedes Wort billige, das Eccelius gesprochen, und sang, als die Predigt aus war, den Schlußvers ruhig mit. Ja sie blieb selbst unbefangen, als sie draußen, an den zu beiden Seiten des Kirchhofweges stehenden Frauen vorbeihumpelnd, erst die vorwurfsvollen Blicke der Älteren und dann das Kichern der Jüngeren über sich ergehen lassen mußte.

Zu Hause sagte Line: »Das war eine schöne Geschichte, Mutter Jeschke. Hätte mir die Augen aus dem Kopf schämen können.«

»Bis doch sünnst nicht so.«

»Ach was, sünnst. Hat er recht oder nicht? Ich meine, der Alte drüben?«

»Ick weet nich, Line«, beschwichtigte die Jeschke. »He möt et joa weeten.«

DREIZEHNTES KAPITEL

»He möt et joa weeten«, hatte die Jeschke gesagt und damit ausgesprochen, wie sie wirklich zu der Sache stand. Sie mißtraute Hradscheck nach wie vor; aber der Umstand, daß Eccelius von der Kanzel her eine Rechtfertigungsrede für ihn gehalten hatte, war doch nicht ohne Eindruck auf sie geblieben und veranlaßte sie, sich einigermaßen zweifelvoll gegen ihren eigenen Argwohn zu stellen. Sie hatte Respekt vor Eccelius, trotzdem sie kaum weniger als eine richtige alte Hexe war und die heiligen Handlungen der Kirche ganz nach Art ihrer sympathetischen Kuren ansah. Alles, was in der Welt wirkte, war Sympathie, Besprechung, Spuk, aber dieser Spuk hatte doch zwei Quellen, und der weiße Spuk war stärker als der schwarze. Demgemäß unterwarf sie sich auch (und zumal wenn er von Altar oder Kanzel her sprach) dem den weißen Spuk vertretenden Eccelius, ihm sozusagen die sichrere Bezugsquelle zugestehend. Unter allen Umständen aber suchte sie mit Hradscheck wieder auf einen guten Fuß zu kommen, weil ihr der Wert einer guten Nachbarschaft einleuchtete. Hradscheck seinerseits, statt den Empfindlichen zu spielen, wie manch anderer getan hätte, kam ihr dabei auf halbem Wege entgegen und war überhaupt von so viel Unbefangenheit, daß, ehe noch die Fastelabend-Pfannkuchen gebacken wurden, die ganze Szulski-Geschichte so gut wie vergessen war.

Nur sonntags im Kruge kam sie noch dann und wann zur Sprache.

»Wenn man wenigstens de Pelz wedder in die Hücht käm …«

»Na, du wührst doch den Pohlschen sien' Pelz nich antrecken wulln?«

»Nich antrecken? Worümm nich? Dat de Pohlsche drinn wihr, dat deiht em nix. Un mi ook nich. Un wat sünnst noch drin wihr, na, dat wahrd nu joa woll rut sinn.«

»Joa, joa. Dat wahrd nu joa woll rut sinn.«

Und dann lachte man und wechselte das Thema.

Solche Scherze bildeten die Regel, und nur selten war es, daß irgendwer ernsthaft auf den Fall zu sprechen kam und bei der Gelegenheit seine Verwunderung ausdrückte, daß die Leiche noch immer nicht angetrieben sei. Dann aber hieß es, »der Tote lieg im Schlick, und der Schlick gäbe nichts heraus, oder doch erst nach fünfzig Jahren, wenn das angeschwemmte Vorland Acker geworden sei. Dann würd er mal beim Pflügen gefunden werden, geradso, wie der Franzose gefunden wär.«

Ja, geradeso wie der Franzose, der jetzt überhaupt die Hauptsache war, viel mehr als der mit seinem Fuhrwerk verunglückte Reisende, was eigentlich auch nicht wundernehmen konnte. Denn Unglücksfälle wie der Szulskische waren häufig, oder wenigstens nicht selten, während der verscharrte Franzos unterm Birnbaum alles Zeug dazu hatte, die Phantasie der Tschechiner in Bewegung zu setzen. Allerlei Geschichten wurden ausgesponnen, auch Liebesgeschichten, in deren einer es hieß, daß Anno 13 ein in eine hübsche Tschechinerin verliebter Franzose beinah täglich von Küstrin her nach Tschechin gekommen sei, bis ihn ein Nebenbuhler erschlagen und verscharrt habe. Diese Geschichte ließen sich auch die Mägde nicht nehmen, trotzdem sich ältere Leute sehr wohl entsannen, daß man einen Chasseur- oder nach andrer Meinung einen Voltigeur-Korporal einfach wegen zu scharfer Fouragierung beiseite gebracht und stillgemacht habe. Diese Besserwissenden drangen aber mit ihrer Prosa-Geschichte nicht durch, und unter allen Umständen blieb der Franzose Held und Mittelpunkt der Unterhaltung.

All das kam unsrem Hradscheck zustatten. Aber was ihm noch mehr zustatten kam, war das, daß er denselben »Franzosen unterm Birnbaum« nicht bloß zur Wiederherstellung, sondern sogar zu glänzender Aufbesserung seiner Reputation zu benutzen verstand.

Und das kam so.

Nicht allzu lange nach seiner Entlassung aus der Untersuchungshaft war in einer Kirchen-Gemeinderatssitzung, der Eccelius in Person präsidierte, davon die Rede gewesen, dem Franzosen auf dem Kirchhof ein christliches Begräbnis zu gönnen. »Der Franzose sei zwar«, so hatte sich der den Antrag stellende Kunicke geäußert, »sehr wahrscheinlich ein Katholscher gewesen, aber man dürfe das so genau nicht nehmen; die Katholschen seien, bei Licht besehen, auch Christen, und wenn einer schon so lang in der Erde gelegen habe, dann sei's eigentlich gleich, ob er den gereinigten Glauben gehabt habe oder nicht.« Eccelius hatte dieser echt Kunickeschen Rede, wenn auch selbstverständlich unter Lächeln, zugestimmt, und die Sache war schon als angenommen und erledigt betrachtet worden, als sich Hradscheck noch im letzten Augenblick zum Worte gemeldet hatte. »Wenn der Herr Prediger das Begräbnis auf dem Kirchhofe, der, als ein richtiger christlicher Gottesacker, jedem Christen, evangelisch oder katholisch, etwas durchaus Heiliges sein müsse, für angemessen oder gar für pflichtmäßig halte, so könne es ihm nicht einfallen, ein Wort dagegen sagen zu wollen; wenn es aber nicht ganz so liege, mit andern Worten, wenn ein Begräbnis daselbst nicht absolut pflichtmäßig sei, so spräch er hiermit den Wunsch aus, den Franzosen in seinem Garten behalten zu dürfen. Der Franzose sei sozusagen sein Schutzpatron geworden, und kein Tag ginge hin, ohne daß er desselben in Dankbarkeit und Liebe gedenke. Das sei das, was er nicht umhingekonnt habe hier auszusprechen, und er setze nur noch hinzu, daß er, gewünschten Falles, die Stelle mit einem Gitter versehen oder mit einem Buchsbaum umziehn wolle.« Die ganze Rede hatte Hradscheck mit bewegter und die Dankbarkeitsstelle sogar mit zitternder Stimme gesprochen, was eine große Wirkung auf die Bauern gemacht hatte.

»Bist ein braver Kerl«, hatte der, wie alle Frühstücker, leicht zum Weinen geneigte Kunicke gesagt und eine Viertelstunde später, als er Woytasch und Eccelius bis vor das Pfarrhaus begleitete, mit Nachdruck hinzugesetzt: »Un wenn's noch ein Russe wär! Aber das is ihm alles eins, Russ' oder Franzos. Der Franzos hat ihm geholfen, und nu hilft er ihm wieder und läßt ihn eingittern. Oder doch wenigstens eine Rabatte ziehen. Und wenn es ein Gitter wird, so hat er's nicht unter zwanzig Taler. Und da rechne ich noch keinen Anstrich und keine Vergoldung.«

Das alles war Mitte März gewesen, und vier Wochen später, als die Schwalben zum ersten Male wieder durch die Dorfgasse hinschossen, um sich anzumelden und zugleich Umschau nach den alten Menschen und Plätzen zu halten, hatte Hradscheck ein Zwiegespräch mit Zimmermeister Buggenhagen, dem er bei der Gelegenheit eine Planzeichnung vorlegte.

»Sehen Sie, Buggenhagen, das Haus ist überall zu klein, überall ist angebaut und angeklebt, die Küche dicht neben dem Laden, und für die Fremden ist nichts da wie die zwei Giebelstuben oben. Das ist zuwenig, ich will also ein Stock aufsetzen. Was meinen Sie? Wird der Unterbau ein Stockwerk aushalten?«

»Was wird er nicht!« sagte Buggenhagen. »Natürlich Fachwerk!«

»Natürlich Fachwerk!« wiederholte Hradscheck. »Auch schon der Kosten wegen. Alle Welt tut jetzt immer, als ob meine Frau zum mindesten ein Rittergut geerbt hätte. Ja, hat sich was mit Rittergut. Erbärmliche tausend Taler.«

»Na, na.«

»Nun, sagen wir zwei«, lachte Hradscheck. »Aber mehr nicht, auf Ehre. Und daß davon keine Seide zu spinnen ist, das wissen Sie. Keine Seide zu spinnen und auch keine Paläste zu bauen. Also so billig wie möglich, Buggenhagen. Ich denke, wir nehmen Lehm als Füllung. Stein ist zu schwer und zu teuer, und was wir dadurch sparen, das lassen wir der Einrichtung zugute kommen. Ein paar Öfen mit weißen Kacheln, nicht wahr? Ich habe schon an Feilner geschrieben und angefragt. Und natürlich alles Tapete! Sieht immer nach was aus und kann die Welt nicht kosten. Ich denke, weiße; das ist am saubersten und zugleich das billigste.«

Buggenhagen hatte zugestimmt und gleich nach Ostern mit dem Umbau begonnen.

Und nicht allzu lange, das Wetter hatte den Bau begünstigt, so war das Haus, das nun einen aufgesetzten Stock hatte, wieder unter Dach. Aber es war das *alte* Dach, die nämlichen alten Steine, denn Hradscheck wurde nicht müde, Sparsamkeit zu fordern und immer wieder zu betonen, »daß er nach wie vor ein armer Mann sei«.

Vier Wochen später standen auch die Feilnerschen Öfen, und nur hinsichtlich der Tapete waren andere Beschlüsse gefaßt und statt der weißen ein paar buntfarbige gewählt worden.

Anfangs, solange das Dach-Abdecken dauerte, hatte Hradscheck in augenscheinlicher Nervosität immer zur Eile angetrieben, und erst als die rechts nach der Kegelbahn hin gelegene Giebelwand eingerissen und statt der Stuben oben nur noch das Balken- und Sparrenwerk sichtbar war, hatte sich seine Hast und Unruhe gelegt, und Aufgeräumtheit und gute Laune waren an Stelle derselben getreten. In dieser guten Laune war und blieb er auch, und nur ein einziger Tag war gewesen, der ihm dieselbe gestört hatte.

»Was meinen Sie, Buggenhagen«, hatte Hradscheck eines Tages gesagt, als er eine aus dem Keller heraufgeholte

Flasche mit Portwein aufzog. »Was meinen Sie, ließe sich nicht der Keller etwas höher wölben? Natürlich nicht der ganze Keller. Um Gottes willen nicht, da blieb' am Ende kein Stein auf dem andern, und Laden und Wein- und Wohnstube, kurzum alles müßte verändert und auf einen andern Leisten gebracht werden. Das geht nicht. Aber es wäre schon viel gewonnen, wenn wir das Mittelstück, das grad unter dem Flur hinläuft, etwas höher legen könnten. Ob die Diele dadurch um zwei Fuß niedriger wird, ist ziemlich gleichgültig; denn die Fässer, die da liegen, haben immer noch Spielraum genug, auch nach oben hin, und stoßen nicht gleich an die Decke.«

Buggenhagen widersprach nie, teils aus Klugheit, teils aus Gleichgültigkeit, und das einzige, was er sich dann und wann erlaubte, waren halbe Vorschläge, hinsichtlich deren es ihm gleich war, ob sie gutgeheißen oder verworfen wurden. Und so verfuhr er auch diesmal wieder und sagte: »Versteht sich, Hradscheck. Es geht. Warum soll es nicht gehn? Es geht alles. Und der Keller ist auch wirklich nicht hoch genug (ich glaube keine fünftehalb Fuß) und die Fenster viel zu klein und zu niedrig; alles wird stockig und multrig. Muß also gemacht werden. Aber warum gleich wölben? Warum nicht lieber ausschachten? Wenn wir zehn Fuhren Erde rausnehmen, haben wir überall fünf Fuß im ganzen Keller, und kein Mensch stößt sich mehr die kahle Platte. Nach oben hin wölben macht bloß Kosten und Umstände. Wir können ebensogut nach unten gehn.«

Hradscheck, als Buggenhagen so sprach, hatte die Farbe gewechselt und sich momentan gefragt, »ob das alles vielleicht was zu bedeuten habe?« Bald aber von des Sprechenden Unbefangenheit überzeugt, war ihm seine Ruhe zurückgekehrt.

»Wenn ich mir's recht überlege, Buggenhagen, so lassen wir's. Wir müssen auch an das Grundwasser denken. Und ist es so lange so gegangen, so kann's auch noch weiter so gehn. Und am Ende, wer kommt denn in den Keller? Ede. Und der hat noch lange keine fünf Fuß.«

Das war einige Zeit vor Beginn der Manöver gewesen, und wenn es ein paar Tage lang ärgerlich und verstimmend nachgewirkt hatte, so verschwand es rasch wieder, als Anfang September die Truppenmärsche begannen und die Schwedter Dragoner als Einquartierung ins Dorf kamen. Das Haus voller Gäste zu haben war überhaupt Hradschecks Vergnügen, und der liebste Besuch waren ihm Rittmeister und Lieutenants, die nicht nur ihre Flasche tranken, sondern auch allerlei wußten und den Mund auf dem rechten Fleck hatten. Einige verschworen sich, daß ein Krieg ganz nahe sei. Kaiser Nikolaus, Gott sei Dank, sei höchst unzufrieden mit der neuen französischen Wirtschaft, und der unsichere Passagier, der Louis Philipp, der doch eigentlich bloß ein Waschlappen und halber Cretin sei, solle mit seiner ganzen Konstitution wieder beiseite geschoben und statt seiner eine bourbonische Regentschaft eingesetzt oder vielleicht auch der vertriebene Karl X. wieder zurückgeholt werden, was eigentlich das beste sei. Kaiser Nikolaus habe recht, überhaupt immer recht. Konstitution sei Unsinn und das ganze Bürgerkönigtum die reine Phrasendrescherei.

Wenn so das Gespräch ging, ging unserm Hradscheck das Herz auf, trotzdem er eigentlich für Freiheit und Revolution war. Wenn es aber Revolution nicht sein konnte, so war er auch für Tyrannei. Bloß gepfeffert mußte sie sein. Aufregung, Blut, Totschießen – wer ihm das leistete, war sein Freund, und so kam es, daß er über Louis Philipp mit zu Gerichte saß, als ob er die hyperloyale Gesinnung seiner Gäste geteilt hätte. Nur von Ede sah er sich noch übertroffen, und wenn dieser durch die Weinstube ging und ein neues Beefsteak oder eine neue Flasche brachte, so lag allemal ein dümmliches Lachen auf seinem Gesicht, wie wenn er sagen wollte: »Recht so, runter mit ihm; alles muß um einen Kopf kürzer gemacht werden.« Ein paar blutjunge Lieutenants, die diese komische Raserei wahrnahmen, amüsierten sich herzlich über ihn und ließen ihn mittrinken, was alsbald dahin führte, daß der für gewöhnlich so schüchterne Junge ganz aus seiner Reserve heraustrat und sich gelegentlich selbst mit dem sonst so gefürchteten Hradscheck auf einen halben Unterhaltungsfuß stellte.

»Da, Herr«, rief er eines Tages, als er gerade mit einem Korbe voll Flaschen wieder aus dem Keller heraufkam. »Da, Herr; das hab ich eben unten gefunden.« Und damit schob er Hradscheck einen schwarzübersponnenen Knebelknopf zu. »Sind solche, wie der Pohlsche an seinem Rock hatte.«

Hradscheck war kreideweiß geworden und stotterte: »Ja, hast recht, Ede. Das sind solche. Hast recht. Das heißt, die von dem Pohlschen, die waren größer. Solche kleinen wie *die*, die hatte Hermannchen, uns' Lütt-Hermann, an seinem Pelzrock. Weißt du noch? Aber nein, da warst du noch gar nicht hier. Bring ihn meiner Frau; vergiß nicht. Oder gib ihn mir lieber wieder; ich will ihn ihr selber bringen.«

Ede ging, und die zunächstsitzenden Offiziere, die Hradschecks Erregung wahrgenommen hatten, aber nicht recht wußten, was sie daraus machen sollten, standen auf und wandten sich einem Gespräch mit andren Kameraden zu.

Auch Hradscheck erhob sich. Er hatte den Knebelknopf zu sich gesteckt und ging in den Garten, ärgerlich gegen den Jungen, am ärgerlichsten aber gegen sich selbst.

»Gut, daß es Fremde waren, und noch dazu solche, die bloß an Mädchen und Pferde denken. War's einer von uns hier, und wenn auch bloß der Ölgötze, der Quaas, so hatt ich die ganze Geschichte wieder über den Hals. Aufpassen, Hradscheck, aufpassen. Und das verdammte Zusammenfahren und Sich-Verfärben! Kalt Blut, oder es gibt ein Unglück.«

So vor sich hin sprechend, war er, den Blick zu Boden gerichtet, schon ein paarmal in dem Mittelgang auf und ab geschritten. Als er jetzt wieder aufsah, sah er, daß die Jeschke hinter dem Himbeerzaune stand und ein paar verspätete Beeren pflückte.

»Die alte Hexe. Sie lauert wieder.«

Aber trotz alledem ging er auf sie zu, gab ihr die Hand und sagte: »Nu, Mutter Jeschke, wie geht's? Lange nicht gesehn. Auch Einquartierung?«

»Nei, Hradscheck.«

»Oder is Line wieder da?«

»Nei, Lineken ook nich. De is joa jitzt in Küstrin.«

»Bei wem denn?«

»Bi Schoolinspekters. Un doa will se nich weg ... Hüren S', Hradscheck, ick glöw, de Schoolinspekters sinn ook man so ... Awers wat hebben Se denn? Se sehn joa janz geel ut. Un hier so 'ne Falt. Oh, Se möten sich nich ärgern, Hradscheck.«

»Ja, Mutter Jeschke, das sagen Sie wohl. Aber man *muß* sich ärgern. Da sind nun die jungen Offiziere. Na, die gehen bald wieder und sind auch am Ende so schlimm nicht und eigentlich nette Herrchen und immer fidel. Aber der Ede, dieser Ede! Da hat der Junge gestern wieder ein halbes Faß Öl auslaufen lassen. Das ist doch über den Spaß. Wo soll man denn das Geld schließlich hernehmen? Und dann die Plackerei treppauf, trappab, und die schmalen Kellerstufen halb abgerutscht. Es ist zum Halsbrechen.«

»Na, Se hebben joa doch nu Buggenhagen bi sich. De künn joa doch ne nije Trepp moaken.«

»Ach, der, der. Mit dem ist auch nichts; ärgert mich auch. Sollte mir da den Keller höher legen. Aber er will nicht und hat allerhand Ausreden. Oder vielleicht versteht er's auch nicht. Ich werde mal den Küstriner Maurermeister kommen lassen, der jetzt an den Kasematten herumflickt. Kasematten und Keller ist ja beinah dasselbe. *Der* muß Rat schaffen. Und bald. Denn der Keller ist eigentlich gar kein richtiger Keller; is bloß ein Loch, wo man sich den Kopf stößt.«

»Joa, joa. De Wienstuw sitt em to sihr upp 'n Nacken.«

»Freilich. Und die ganze Geschichte hat nicht Luft und nicht Licht. Und warum nicht? Weil kein richtiges Fenster da ist. Alles zu klein und zu niedrig. Alles zu dicht zusammen.«

»Woll, woll«, stimmte die Jeschke zu. »Jott, ick weet noch, as de Pohlsche hier wihr und dat Licht ümmer so blinzeln deih. Joa, wo *wihr* dat Licht? Wihr et in de Stuw o'r wihr et in 'n Keller? Ick weet et nich.«

Alles klang so pfiffig und hämisch, und es lag offen zutage, daß sie sich an ihres Nachbarn Verlegenheit weiden wollte. Diesmal aber hatte sie die Rechnung ohne den Wirt gemacht, und die Verlegenheit blieb schließlich auf ihrer Seite. War doch Hradscheck seit lange schon willens, ihr gegenüber, bei sich bietender Gelegenheit, mal einen andern Ton anzuschlagen. Und so sah er sie denn jetzt mit seinen durchdringenden Augen scharf an und sagte, sie plötzlich in der dritten Person anredend: »Jeschken, ich weiß, wo Sie hin will. Aber weiß Sie denn auch, was eine Verleumdungsklage ist? Ich erfahre alles, was Sie so herumschwatzt; aber seh Sie sich vor, sonst kriegt Sie's mit dem Küstriner Gericht zu tun; Sie ist 'ne alte Hexe, das weiß jeder, und der Justizrat weiß es auch. Und er wartet bloß noch auf eine Gelegenheit.«

Die Alte fuhr erschreckt zusammen. »Ick meen joa man, Hradscheck, ick meen joa man ... Se weeten doch, en beten Spoaß möt sinn.«

»Nun gut. Ein bißchen Spaß mag sein. Aber wenn ich Euch raten kann, Mutter Jeschke, nicht zuviel. Hört Ihr wohl, nicht zuviel.«

Und damit ging er wieder auf das Haus zu.

Vierzehntes Kapitel

Ängstigungen und Ärgernisse wie die vorgeschilderten kamen dann und wann vor, aber im ganzen, um es zu wiederholen, war die Bauzeit eine glückliche Zeit für unsern Hradscheck gewesen. Der Laden war nie leer, die Kundschaft wuchs, und das dem Grundstück zugehörige, draußen an der Neu-Lewiner Straße gelegene Stück Ackerland gab in diesem Sommer einen besonders guten Ertrag. Dasselbe galt auch von dem Garten hinterm Haus; alles gedieh darin, der Spargel prachtvoll, dicke Stangen mit gelbweißen Köpfen, und die Pastinak- und Dillbeete standen hoch in Dolden. Am meisten aber tat der alte Birnbaum, der sich mehr als seit Jahren anstrengte. »Dat 's de Franzos«, sagten die Knechte sonntags im Krug, »de deiht wat för em«, und als die Pflückenszeit gekommen, rief Kunicke, der sich gerade zum Kegeln eingefunden hatte: »Hör, Hradscheck, du könntest uns mal ein paar von deinen *Franzosen*birnen bringen.« Franzosenbirnen! Das Wort wurde sehr bewundert, lief rasch von Mund zu Mund, und ehe drei Tage vergangen waren, sprach kein Mensch mehr von Hradschecks »Malvasieren«, sondern bloß noch von den »Franzosenbirnen«. Hradscheck selbst aber freute sich des Wortes, weil er daran erkannte, daß man, trotz aller Stichelreden der alten Jeschke, mehr und mehr anfing, die Vorkommnisse des letzten Winters von der scherzhaften Seite zu nehmen.

Ja, die Sommer- und Baumonate brachten lichtvolle Tage für Hradscheck, und sie hätten noch mehr Licht und noch weniger Schatten gehabt, wenn nicht Ursel gewesen wäre. Die füllte, während alles andre glatt und gut ging, seine Seele mit Mitleid und Sorge, mit Mitleid, weil er sie liebte (wenigstens auf seine Weise), mit Sorge, weil sie dann und wann ganz wunderliche Dinge redete. Zum Glück hatte sie nicht das Bedürfnis, Umgang zu pflegen und Menschen zu sehn, lebte vielmehr eingezogener denn je und begnügte sich damit, sonntags in die Kirche zu gehn. Ihre sonst tiefliegenden Augen sprangen dann aus dem Kopf, so begierig folgte sie jedem Wort, das von der Kanzel her laut wurde, *das* Wort aber, auf das sie wartete, das kam nicht. In ihrer Sehnsucht ging sie dann, nach der Predigt, zu dem guten, ihr immer gleichmäßig geneigt bleibenden Eccelius hinüber, um, soweit es ging, Herz und Seele vor ihm auszuschütten und etwas von Befreiung oder Erlösung zu hören; aber Seelsorge war nicht seine starke Seite, noch weniger seine Passion, und wenn sie sich der Sünde geziehn und in

Selbstanklagen erschöpft hatte, nahm er lächelnd ihre Hand und sagte: »Liebe Frau Hradscheck, wir sind allzumal Sünder und mangeln des Ruhmes, den wir vor Gott haben sollen. Sie haben eine Neigung, sich zu peinigen, was ich mißbillige. Sich ewig anklagen ist oft Dünkel und Eitelkeit. Wir haben Christum und seinen Wandel als Vorbild, dem wir im Gefühl unsrer Schwäche demütig nachstreben sollen. Aber wahren wir uns vor Selbstgerechtigkeit, vor allem vor *der*, die sich in Zerknirschung äußert. *Das* ist die Hauptsache.« Wenn er das trocken-geschäftsmäßig, ohne Pathos und selbst ohne jede Spur von Salbung gesagt hatte, ließ er die Sache sofort wieder fallen und fragte, zu natürlicheren und ihm wichtiger dünkenden Dingen übergehend, »wie weit der Bau sei?« Denn er wollte nächstes Frühjahr *auch* bauen. Und wenn dann die Hradscheck, um ihm zu Willen zu sein, von allen möglichen Kleinigkeiten, am liebsten und eingehendsten aber von den Meinungsverschiedenheiten zwischen ihrem Mann und Zimmermeister Buggenhagen geplaudert hatte, rieb er sich schmunzelnd und vor sich hin nickend die Hand und sagte rasch und in augenscheinlicher Furcht, das Seelengespräch wieder aufgenommen zu sehn: »Und nun, liebe Frau Hradscheck, muß ich Ihnen meine Nelken zeigen.«

Um Johanni wußte ganz Tschechin, daß die Hradscheck es nicht mehr lange machen werde. Keinem entging es. Nur sie selber sah es so schlimm nicht an und wollte von keinem Doktor hören. »Sie wissen ja doch nichts. Und dann der Wagen und das viele Geld.« Auf das letztere, das »viele Geld«, kam sie jetzt überhaupt mit Vorliebe zu sprechen, fand alles unnötig oder zu teuer, und während sie noch das Jahr vorher für ein Polysander-Fortepiano gewesen war, um es, wenn nicht der Amtsrätin in Friedrichsau, so doch wenigstens der Domänenpächterin auf Schloß Solikant gleichzutun, so war sie jetzt sparsam bis zum Geiz. Hradscheck ließ sie gewähren, und nur einmal, als sie gerade beim Schotenpalen war, nahm er sich ein Herz und sagte:

»Was ist das nur jetzt, Ursel? Du ringst dir ja jeden Dreier von der Seele.« Sie schwieg, drehte die Schüssel hin und her und palte weiter. Als er aber stehenblieb und auf Antwort zu warten schien, sagte sie, während sie die Schüssel rasch und heftig beiseite setzte: »Soll es alles umsonst gewesen sein? Oder willst du …« Weiter kam sie nicht. Ein Herzkrampf, daran sie jetzt häufiger litt, überfiel sie wieder, und Hradscheck sprang zu, um ihr zu helfen.

Ihre Wirtschaft besorgte sie pünktlich, und alles ging am Schnürchen, wie vordem. Aber Interesse hatte sie nur für eins, und das eine war der Bau. Sie wollt ihn, darin Hradschecks Eifer noch übertreffend, in möglichster Schnelle beendet sehn, und so sparsam sie sonst geworden war, so war sie doch gegen keine Mehrausgabe, die Beschleunigung und rascheres Zustandekommen versprach. Einmal sagte sie: »Wenn ich nur erst oben bin. Oben werd ich auch wieder Schlaf haben. Und wenn ich erst wieder schlafe, werd ich auch wieder gesund werden.« Er wollte sie beruhigen und strich ihr mit der Hand über Stirn und Haar. Aber sie wich seiner Zärtlichkeit aus und kam in ein heftiges Zittern. Überhaupt war es jetzt öfter so, wie wenn sie sich vor ihm fürchte. Mal sagte sie leise: »Wenn er nur nicht so glatt und glau wär. Er ist so munter und spricht so viel und kann alles. Ihn ficht nichts an … Und die drüben in Neu-Lewin war auch mit einem Male weg.« Solche Stimmungen kamen ihr von Zeit zu Zeit, aber sie waren flüchtig und vergingen wieder.

Und nun waren die letzten Augusttage.

»Morgen, Ursel, ist alles fertig.«

Und wirklich, als der andre Tag da war, bot ihr Hradscheck mit einer gewissen freundlichen Feierlichkeit den Arm, um sie treppauf in eine der neuen Stuben zu führen. Es war die, die nach der Kegelbahn hinaus lag, jetzt die hübscheste, hellblau tapeziert und an der Decke gemalt: ein Kranz von Blüten und Früchten, um den Tauben flogen und pickten. Auch das Bett war schon heraufgeschafft und stand an der Mittelwand, genau da, wo früher die Bettwand der alten Giebel- und Logierstube gewesen war.

Hradscheck erwartete Dank und gute Worte zu hören. Aber die Kranke sagte nur: »*Hier*? Hier, Abel?«

»Es sind neue Steine«, stotterte Hradscheck.

Ursel indes war schon von der Türschwelle wieder zurückgetreten und ging den Gang entlang, nach der andern Giebelseite hinüber, wo sich ein gleichgroßes, auf den Hof hinaussehendes Zimmer befand. Sie trat an das Fenster und öffnete; Küchenrauch, mehr anheimelnd als störend, kam ihr von der Seite her entgegen, und eine Henne mit ihren Küchelchen zog unten vorüber; Jakob aber, der holzsägend in Front einer offnen Remise stand, neckte sich mit Male, die beim Brunnen Wäsche spülte.

»*Hier* will ich bleiben.«

Und Hradscheck, der durch den Auftritt mehr erschüttert als verdrossen war, war einverstanden und ließ alles, was sich von Einrichtungsgegenständen in der hellblau tapezierten und für Ursel bestimmten Stube befand, nach der andern Seite hinüberbringen.

Und siehe da, Frau Hradscheck erholte sich wirklich und sogar rascher, als sie selbst zu hoffen gewagt hatte. Schlaf kam, der scharfe Zug um ihren Mund wich, und als die schon erwähnten Manövertage mit ihrer Dragoner-Einquartierung kamen, hatte sich ihr Aussehn und ihre Stimmung derart verbessert, daß sie gelegentlich die Wirtin machen und mit den Offizieren plaudern konnte. Das Hagere, Hektische gab ihr, bei der guten Toilette, die sie zu machen verstand, etwas Distinguiertes, und ein alter Eskadronchef, der sie mit erstaunlicher Ritterlichkeit umcourte, sagte, wenn er ihr beim Frühstück nachsah und mit beiden Händen den langen blonden Schnurrbart drehte: »Famoses Weib. Auf Ehre. Wie *die* nur hierher kommt?« Und dann gab er seiner Bewunderung auch Hradscheck gegenüber Ausdruck, worauf dieser nicht wenig geschmeichelt antwortete: »Ja, Herr Rittmeister, Glück muß der Mensch haben! Mancher kriegt's im Schlaf.«

Und dann lachte der Eskadronchef und stieß mit ihm an.

Das alles war Mitte September.

Aber das Wohlbefinden, so rasch es gekommen, so rasch ging es auch wieder, und ehe noch das Erntefest heran war, waren die Kräfte schon so geschwunden, daß die Kranke die Treppe kaum noch hinunter konnte. Sie blieb deshalb oben, sah auf den Hof und machte sich, um doch etwas zu tun, mit der Neueinrichtung sämtlicher Oberzimmer zu schaffen. Nur die Giebelstube, nach der Kegelbahn hin, vermied sie.

Hradscheck, der immer noch an die Möglichkeit einer Wiederherstellung gedacht hatte, sah jetzt auch, wie's stand, und als der heimlich zu Rate gezogene Doktor Oelze von Abzehrung und Nervenschwindsucht gesprochen, machte sich Hradscheck auf ihr Hinscheiden gefaßt. Daß er darauf gewartet hätte, konnte nicht wohl gesagt werden; im Gegenteil, er blieb seiner alten Neigung treu, war überaus rücksichtsvoll und klagte nie, daß ihm die Frau fehle. Er wollt auch von keiner andern Hilfe wissen und ordnete selber alles an, was in der Wirtschaft zu tun nötig war. Vieles tat er selbst. »Is doch ein Mordskerl«, sagte Kunicke. »Was er will, kann er. Ich glaub, er kann auch einen Hasen abziehn und Sülze kochen.«

An dem Abend, wo Kunicke so gesprochen, hatte die Sitzung in der Weinstube wieder ziemlich lange gedauert, und Hradscheck war noch keine halbe Stunde zu Bett, als Male, die jetzt oben bei der Kranken schlief, treppab kam und an seine Tür klopfte.

»Herr Hradscheck, steihn S' upp. De Fru schickt mi. Se sülln ruppkoamen.«

Und nun saß er oben an ihrem Bett und sagte: »Soll ich nach Küstrin schicken, Ursel? Soll Oelze kommen? Der Weg ist gut. In drei Stunden ist er hier.«

»In drei Stunden ...«

»Oder soll Eccelius kommen?«

»Nein«, sagte sie, während sie sich mühvoll aufrichtete, »es geht nicht. Wenn ich es nehme, so sag ich es.«

Er schüttelte verdrießlich den Kopf.

»Und sag ich es *nicht*, so eß ich mir selber das Gericht.«

»Ach, laß doch *das*, Ursel. Was soll *das*? Daran denkt ja keiner. Und ich am wenigsten. Er soll bloß kommen und mit dir sprechen. Er meint es gut mit dir und kann dir einen Spruch sagen.«

Es war, als ob sie sich's überlege. Mit einem Mal aber sagte sie: »Selig sind die Friedfertigen; selig sind, die reines Herzens sind; selig sind die Sanftmütigen. All die kommen in Abrahams Schoß. Aber wohin kommen *wir*?«

»Ich bitte dich, Ursel, sprich nicht *so*. Frage nicht so. Und wozu? Du bist noch nicht soweit, noch lange nicht. Es geht alles wieder vorüber. Du lebst und wirst wieder eine gesunde Frau werden.«

Es klang aber alles nur an ihr hin, und Gedanken nachhängend, die schon über den Tod hinausgingen, sagte sie: »Verschlossen ... Und was aufschließt, das ist der Glaube. Den hab ich nicht ... Aber is noch ein andres, das aufschließt, das sind die guten Werke ... Hörst du. Du mußt ohne Namen nach Krakau schreiben, an den Bischof oder an seinen Vikar. Und mußt bitten, daß sie Seelenmessen lesen lassen ... Nicht für mich. Aber du weißt schon ... Und laß den Brief in Frankfurt aufgeben. Hier geht es nicht und auch nicht in Küstrin. Ich habe mir's abgespart dies letzte halbe Jahr, und du findest es eingewickelt in meinem Wäschschrank unter dem Damasttischtuch. Ja, Hradscheck, *das* war es, wenn du dachtest, ich sei geizig geworden. Willst du?«

»Freilich will ich. Aber es wird Nachfrage geben.«

»Nein. Das verstehst du nicht. Das ist Geheimnis. Und sie gönnen einer armen Seele die Ruh!«

»Ach, Ursel, du sprichst soviel von Ruh und bangst dich und ängstigst dich, ob du sie finden wirst. Weißt du, was ich denke?«

»Nein.«

»Ich denke, leben ist leben, und tot ist tot. Und wir sind Erde, und Erde wird wieder Erde. Das andre haben sich die Pfaffen ausgedacht. Spiegelfechterei, sag ich, weiter nichts. Glaube mir, die Toten *haben* Ruhe.«

»Weißt du das so gewiß, Abel?«

Er nickte.

»Nun, ich sage dir, die Toten stehen wieder auf …«

»Am Jüngsten Tag.«

»Aber es gibt ihrer auch, die warten nicht so lange.«

Hradscheck erschrak heftig und drang in sie, mehr zu sagen. Aber sie war schon in die Kissen zurückgesunken, und ihre Hand, der seinigen sich entziehend, griff nur noch krampfhaft in das Deckbett. Dann wurde sie ruhiger, legte die Hand aufs Herz und murmelte Worte, die Hradscheck nicht verstand.

»Ursel«, rief er, »Ursel!«

Aber sie hörte nicht mehr.

Fünfzehntes Kapitel

Das war in der Nacht von Sonnabend auf Sonntag gewesen, den letzten Tag im September. Als am andern Morgen zur Kirche geläutet wurde, standen die Fenster in der Stube weit offen, die weißen Gardinen bewegten sich hin und her, und alle, die vorüberkamen, sahen nach der Giebelstube hinauf und wußten nun, daß die Hradscheck gestorben sei. Schulze Woytasch fuhr vor, aussprechend, was er sich bei gleichen Veranlassungen zu sagen gewöhnt hatte, »daß ihr nun wohl sei« und »daß sie vor ihnen allen einen guten Schritt voraushabe«. Danach trank er, wie jeden Sonntag vor der Predigt, ein kleines Glas Madeira zur Stärkung und machte dann die kurze Strecke bis zur Kirche hin zu Fuß. Auch Kunicke kam und drückte Hradscheck verständnisvoll die Hand, das Auge gerade verschwommen genug, um die Vorstellung einer Träne zu wecken. Desgleichen sprachen auch der Ölmüller und gleich nach ihm Bauer Mietzel vor, welch letztrer sich bei Todesfällen immer der »Vorzüge seiner Kränklichkeit von Jugend auf« zu berühmen pflegte. Das tat er auch heute wieder. »Ja, Hradscheck, der Mensch denkt und Gott lenkt. Ich piepe nun schon so lang; aber es geht immer noch.«

Auch noch andre kamen und sagten ein Wort. Die meisten indessen gingen ohne Teilnahmsbezeigung vorüber und stellten Betrachtungen an, die sich mit der Toten in nur wenig freundlicher Weise beschäftigten.

»Ick weet nich«, sagte der eine, »wat Hradscheck an ehr hebben deih. Man blot, dat se 'n beten scheel wihr.«

»Joa«, lachte der andre. »Dat wihr se. Un am Enn', so wat künn he hier ook hebb'n.«

»Un denn dat hannüversche Geld. Ihrst schmeet se't weg, un mit eens fung se to knusern an.«

In dieser Weise ging das Gespräch einiger ältrer Leute; das junge Weiberzeug aber beschränkte sich auf die eine Frage: »Weck' een he nu woll frigen deiht?«

Auf Mittwoch vier Uhr war das Begräbnis angesetzt, und viel Neugierige standen schon vorher in einem weiten Halbkreis um das Trauerhaus herum. Es waren meist Mägde, die schwatzten und kicherten, und nur einige waren ernst, darunter die Zwillings-Enkelinnen einer armen alten Witwe, welche letztre, wenn Wäsche bei den Hradschecks war, allemal mitwusch. Diese Zwillinge waren in ihren schwarzen, von der Frau Hradscheck herrührenden Einsegnungskleidern erschienen und weinten furchtbar, was sich noch steigerte, als sie bemerkten, daß sie durch ihr Geheul und Geschluchze der Gegenstand allgemeiner Aufmerksamkeit wurden. Dabei gingen jetzt die Glocken in einem fort, und alles drängte dichter zusammen und wollte sehn. Als es nun aber zum dritten Mal ausgeläutet hatte, kam Leben in die drin und draußen Versammelten, und der Zug setzte sich in Bewegung. Vorn die von Kantor Graumann geführte Schuljugend, die, wie herkömmlich, den Choral »Jesus, meine Zuversicht« sang; nach ihr erschien der von sechs Trägern getragene Sarg; dann Eccelius und Hradscheck; dahinter die Bauernschaft in schwarzen Überröcken und hohen schwarzen Hüten, und endlich all die Neugierigen, die bis dahin das Haus umstanden hatten. Es war ein wunderschöner Tag, frische Herbstluft bei klarblauem Himmel. Aber die würdevoll vor sich hin blikkende Dorfhonoratiorenschaft achtete des blauen Himmels nicht, und nur Bauer Mietzel, der noch Heu draußen hatte, das er am andern Tag einfahren wollte, schielte mit halbem Auge hinauf. Da sah er, wie von der andern Oderseite her ein Weih über den Strom kam und auf den Tschechiner Kirchturm zuflog. Und er stieß den neben ihm gehenden Ölmüller an und sagte: »Süh, Quaas, doa is he wedder.«

»Wihr denn?«

»De Weih. Weetst noch?«

»Nei.«

»Dunn, as dat mit Szulski wihr. Ick segg di, de Weih, de weet wat.«

Als sie so sprachen, bog die Spitze des Zuges auf den Kirchhof ein, an dessen höchster Stelle, dicht neben dem Turm, das Grab gegraben war. Hier setzte man den Sarg auf darübergelegte Balken, und als sich der Kreis gleich danach geschlossen hatte, trat Eccelius vor, um die Grabrede zu halten. Er rühmte von der Toten, daß sie, den ihr anerzogenen Aberglauben abschüttelnd, nach freier Wahl und eignem Entschluß den Weg des Lichtes gegangen sei, was nur *der* wissen und bezeugen könne, der ihr so nahgestanden habe wie er. Und wie sie das Licht und die reine Lehre geliebt habe, so habe sie nicht minder das Recht geliebt, was sich zu keiner Zeit schöner und glänzender gezeigt als in jenen schweren Tagen, die der selig Entschlafenen nach dem Ratschlusse Gottes auferlegt worden seien. Damals, als er ihr nicht ohne Mühe das Zugeständnis erwirkt habe, den, an dem ihr Herz und ihre Seele hing, wiedersehn zu dürfen, wenn auch freilich nur vor

Zeugen und auf eine kurze halbe Stunde, da habe sie die wohl jedem hier in der Erinnerung gebliebenen Worte gesprochen: »Nein, nicht jetzt; es ist besser, daß ich warte. Wenn er unschuldig ist, so werd ich ihn wiedersehn, früher oder später; wenn er aber schuldig ist, so will ich ihn *nicht* wiedersehn.« Er freue sich, daß er diese Worte, hier am Grabe der Heimgegangenen, ihr zu Ruhm und Ehre, wiederholen könne. Ja, sie habe sich allezeit bewährt in ihrem Glauben und ihrem Rechtsgefühl. Aber vor allem auch in ihrer Liebe. Mit Bangen habe sie die Stunden gezählt, in schlaflosen Nächten ihre Kräfte verzehrend, und als endlich die Stunde der Befreiung gekommen sei, da sei sie zusammengebrochen. Sie sei das Opfer arger, damals herrschender Mißverständnisse, das sei zweifellos, und alle die, die diese Mißverständnisse geschürt und genährt hätten, anstatt sie zu beseitigen, die hätten eine schwere Verantwortung auf ihre Seele geladen. Ja, dieser frühe Tod, er müsse das wiederholen, sei das Werk derer, die das Gebot unbeachtet gelassen hätten: »Du sollst nicht falsch Zeugnis reden wider deinen Nächsten.«

Und als er dieses sagte, sah er scharf nach einem entblätterten Hagebuttenstrauch hinüber, unter dessen roten Früchten die Jeschke stand und dem Vorgange, wie schon damals in der Kirche, mehr neugierig als verlegen folgte.

Gleich danach aber schloß Eccelius seine Rede, gab einen Wink, den Sarg hinabzulassen, und sprach dann den Segen. Dann kamen die drei Hände voll Erde, mit sich anschließendem Schmerzblick und Händeschütteln, und ehe noch der am Horizont schwebende Sonnenball völlig unter war, war das Grab geschlossen und mit Asterkränzen überdeckt.

Eine halbe Stunde später, es dämmerte schon, war Eccelius wieder in seiner Studierstube, das Sammetkäppsel auf dem Kopf, das ihm Frau Hradscheck vor gerade Jahresfrist gestickt hatte. Die Bauern aber saßen in der Weinstube, Hradscheck zwischen ihnen, und faßten alles, was sie an Trost zu spenden hatten, in die Worte zusammen: »Immer

Courage, Hradscheck! Der alte Gott lebt noch« – welchen Trost- und Weisheitssprüchen sich allerlei Wiederverheiratungsgeschichten beinah unmittelbar anschlossen. Eine davon, die beste, handelte von einem alten Hauptmann von Rohr, der vier Frauen gehabt und beim Hinscheiden jeder einzelnen mit einer gewissen trotzigen Entschlossenheit gesagt hatte: »Nimmt Gott, so nehm ich wieder.« Hradscheck hörte dem allem ruhig und kopfnickend zu, war aber doch froh, die Tafelrunde heute früher als sonst aufbrechen zu sehn. Er begleitete Kunicke bis an die Ladentür und stieg dann, er wußte selbst nicht warum, in die Stube hinauf, in der Ursel gestorben war. Hier nahm er Platz an ihrem Bett und starrte vor sich hin, während allerlei Schatten an Wand und Decke vorüberzogen.

Als er eine Viertelstunde so gesessen, verließ er das Zimmer wieder und sah, im Vorübergehn, daß die nach rechts hin gelegene Giebelstube halb offenstand, dieselbe Stube, drin die Verstorbene nach vollendetem Umbau zu wohnen und zu schlafen so bestimmt verweigert hatte.

»Was machst du hier, Male?« fragte Hradscheck.

»Wat ick moak? Ick treck em sien Bett öwer.«

»Wem?«

»Is joa wihr ankoamen. Wedder een mit 'n Pelz.«

»So, so«, sagte Hradscheck und stieg die Treppe langsam hinunter.

»Wedder een … wedder een … Immer noch nicht vergessen.«

Sechzehntes Kapitel

Frau Hradscheck war nun unter der Erde, Male hatte das Umschlagetuch gekriegt, auf das ihre Wünsche sich schon lange gerichtet hatten, und alles wäre gut gewesen, wenn nicht der Letzte Wille der Verstorbenen gewesen wäre: die Geldsendung an den Krakauer Bischof um der zu lesenden Seelenmessen willen. Das machte Hradscheck Sorge, nicht wegen des Geldes, davon hätt er sich leicht getrennt, einmal weil Sparen und Knausern überhaupt nicht in seiner Natur lag, vor allem aber, weil er das seiner Frau gegebene Versprechen gern zu halten wünschte, schon aus abergläubischer Furcht. Das Geld also war es nicht, und wenn er trotzdem in Schwanken und Säumnis verfiel, so war es, weil er nicht selber dazu beitragen wollte, die kaum begrabene Geschichte vielleicht wieder ans Licht zu ziehn. Ursel hatte freilich von Beichtgeheimnis und ähnlichem gesprochen, er mißtraute jedoch solcher Sicherheit, am meisten aber dem ohne Namensunterschrift in Frankfurt aufzugebenden Briefe.

In dieser Verlegenheit beschloß er endlich, Eccelius zu Rate zu ziehn und diesem die halbe Wahrheit zu sagen, und wenn nicht die halbe, so doch wenigstens so viel, wie zu seiner Gewissensbeschwichtigung gerade nötig war. Ursel, so begann er, habe zu seinem allertiefsten Bedauern ernste katholische Rückfälle gehabt und ihm beispielsweise in ihrer letzten Stunde noch eine Summe Geldes behändigt, um Seelenmessen für sie lesen zu lassen (der, dem es eigentlich galt, wurde hier unterschlagen). Er, Hradscheck, hab ihr auch, um ihr das Sterben leichter zu machen, alles versprochen, sein protestantisches Gewissen aber sträube sich jetzt dagegen, ihr das Versprochene wörtlich und in all und jedem Stücke zu halten, weshalb er anfrage, ob er das Geld wirklich an die Katholschen aushändigen oder nicht lieber nach Berlin reisen und ein marmornes oder vielleicht auch gußeisernes Grabkreuz, wie sie jetzt Mode seien, bestellen solle.

Eccelius zögerte keinen Augenblick mit der Antwort und sagte genau das, was Hradscheck zu hören wünschte. Versprechungen, die man einem Sterbenden gäbe, seien natürlich bindend, das erheische die Pietät, das sei die Regel. Aber jede Regel habe bekanntlich ihren Ausnahmefall, und wenn das einem Sterbenden gegebene Versprechen falsch und sündhaft sei, so hebe das Erkennen dieser Sündhaftigkeit das Versprechen wieder auf. Das sei nicht bloß Recht, das sei sogar Pflicht. Die ganze Sache, wie

Hradscheck sie geschildert, gehöre zu seinen schmerzlichsten Erfahrungen. Er habe große Stücke von der Verstorbenen gehalten und allezeit einen Stolz darein gesetzt, sie für die gereinigte Lehre gewonnen zu haben. Daß er sich darin geirrt oder doch wenigstens halb geirrt habe, sei, neben anderem, auch persönlich kränkend für ihn, was er nicht leugnen wolle. Diese persönliche Kränkung indes sei nicht das, was sein eben gegebenes Urteil bestimmt habe. Hradscheck solle getrost bei seinem Plane bleiben und nach Berlin reisen, um das Kreuz zu bestellen. Ein Kreuz und ein guter Spruch zu Häupten der Verstorbenen werde derselben genügen, dem Kirchhof aber ein Schmuck und eine Herzensfreude für jeden sein, der sonntags daran vorüberginge.

Es war Ende Oktober gewesen, daß Eccelius und Hradscheck dies Gespräch geführt hatten, und als nun Frühling kam und der ganze Tschechiner Kirchhof, so kahl auch seine Bäume noch waren, in Schneeglöckchen und Veilchen stand, erschien das gußeiserne Kreuz, das Hradscheck mit vieler Wichtigkeit und nach langer und minutiöser Beratung auf der königlichen Eisengießerei bestellt hatte. Zugleich mit dem Kreuze traf ein Steinmetz mit zwei Gesellen ein, Leute, die das Aufrichten und Einlöten aus dem Grunde verstanden, und nachdem die Dorfjugend ein paar Stunden zugesehen hatte, wie das Blei geschmolzen und in das Sockelloch eingegossen wurde, stand das Kreuz da mit Spruch und Inschrift, und viele Neugierige kamen, um die goldblanken Verzierungen zu sehn: unten ein Engel, die Fackel senkend, und oben ein Schmetterling. All das wurde von alt und jung bewundert. Einige lasen auch die Inschrift: »Ursula Vincentia Hradscheck, geb. zu Hickede bei Hildesheim im Hannöverschen den 29. März 1790, gest. den 30. September 1832.« Und darunter: »Evang. Matthäi 6, V. 14.« Auf der Rückseite des Kreuzes aber stand ein mutmaßlich von Eccelius selbst herrührender Spruch, darin er seinem Stolz, aber freilich auch seinem Schmerz Ausdruck gegeben hatte. Dieser Spruch lautete: »Wir wandelten in Finsternis, bis wir das Licht sahen. Aber die Finsternis blieb, und es fiel ein Schatten auf unsren Weg.«

Unter denen, die sich das Kreuz gleich am Tage der Errichtung angesehen hatten, waren auch Gensdarm Geelhaar und Mutter Jeschke gewesen. Sie hatten denselben Heimweg und gingen nun gemeinschaftlich die Dorfstraße hinunter, Geelhaar etwas verlegen, weil er den zu seiner eignen Würdigkeit schlecht passenden Ruf der Jeschke besser als irgendwer anders kannte. Seine Neugier überwand aber seine Verlegenheit, und so blieb er denn an der Seite der Alten und sagte:

»Hübsch is es. Un der Schmetterling so natürlich; beinah wie 'n Zitronenvogel. Aber ich begreife Hradscheck nich, daß er sie so dicht an dem Turm begraben hat. Was soll sie da? Warum nicht bei den Kindern? Eine Mutter muß doch da liegen, wo die Kinder liegen.«

»Woll, woll, Geelhaar. Awers Hradscheck is klook. Un he weet ümmer, wat he deiht.«

»Gewiß weiß er das. Er ist klug. Aber gerade weil er klug ist ...«

»Joa, joa.«

»Nu was denn?«

Und der sechs Fuß hohe Mann beugte sich zu der alten Hexe nieder, weil er wohl merkte, daß sie was sagen wollte.

»Was denn, Mutter Jeschke?« wiederholte er seine Frage.

»Joa, Geelhaar, wat sall ick seggen? Eccelius möt et weten. Un de hett nu ook wedder de Inschrift moakt. Awers *een* is, de weet ümmer noch en beten mihr.«

»Und wer is das? Line?«

»Ne, Line nich. Awers Hradscheck sülwsten. Hradscheck, de will de Kinnings und de Fru nich tosoamen hebb'n. Nich so upp enen Hümpel.«

»Nun gut, gut. Aber warum nicht, Mutter Jeschke?«

»Nu, he denkt, wenn't losgeiht.«

Und nun blieb sie stehn und setzte dem halb verwundert, halb entsetzt aufhorchenden Geelhaar auseinander, daß die Hradscheck an dem Tage, »wo's losgehe«, doch natürlich nach ihren Kindern greifen würde, vorausgesetzt, daß sie sie zur Hand habe. »Un dat wull de oll Hradscheck nich.«

»Aber, Mutter Jeschke, glaubt Ihr denn an so was?«

»Joa, Geelhaar, worümm nich? Worümm sall ick an so wat nich glöwen?«

Siebzehntes Kapitel

Als das Kreuz aufgerichtet stand, es war Nachmittag geworden, kam auch Hradscheck, sonntäglich und wie zum Kirchgange gekleidet, und die Neugierigen, an denen den ganzen Tag über, auch als Geelhaar und die Jeschke längst fort waren, kein Mangel blieb, sahen, daß er den Spruch las und die Hände faltete. Das gefiel ihnen ausnehmend, am meisten aber gefiel ihnen, daß er das teure Kreuz überhaupt bestellt hatte. Denn Geld ausgeben (und noch dazu *viel* Geld) war das, was den Tschechinern als echten Bauern am meisten imponierte. Hradscheck verweilte wohl eine Viertelstunde, pflückte Veilchen, die neben dem Grabhügel aufsprossen, und ging dann in seine Wohnung zurück.

Als es dunkel geworden war, kam Ede mit Licht, fand aber die Tür von innen verriegelt, und als er nun auf die Straße ging, um wie gewöhnlich die Fensterladen von außen zu schließen, sah er, daß Hradscheck, eine kleine Lampe mit grünem Klappschirm vor sich, auf dem Sofa saß und den Kopf stützte. So verging der Abend. Auch am andern Tage blieb er auf seiner Stube, nahm kaum einen Imbiß, las und schrieb und ließ das Geschäft gehn, wie's gehen wollte.

»Hür, Jakob«, sagte Male, »dat's joa grad, as ob se nu

ihrst dod wihr. Süh doch, wie he doa sitt. He kann doch nu nich wedder anfang'n.«

»Ne«, sagte Jakob, »dat kann he nich.«

Und Ede, der hinzukam und heute gerade seinen hochdeutschen Tag hatte, stimmte bei, freilich mit der Einschränkung, daß er auch von der voraufgegangenen »ersten Trauer« nicht viel wissen wollte.

»Wieder anfangen! Ja, was heißt wieder anfangen? Damals war es auch man soso. Drei Tag und nich länger. Und paß auf, Male, diesmal knappst er noch was ab.«

Und wirklich, Ede, der, aller Dummheit unerachtet, seinen Herrn gut kannte, behielt recht, und ehe noch der dritte Tag um war, ließ Hradscheck die Träumerei fallen und nahm das gesellige Leben wieder auf, das er schon während der zurückliegenden Wintermonate geführt hatte. Dazu gehörte, daß er alle vierzehn Tage nach Frankfurt und alle vier Wochen auch mal nach Berlin fuhr, wo er sich, nach Erledigung seiner kaufmännischen Geschäfte, kein anderes Vergnügen als einen Theaterabend gönnte. Deshalb stieg er auch regelmäßig in dem an der Ecke von Hohen-Steinweg und Königsstraße gelegenen »Gasthofe zum Kronprinzen« ab, von dem aus er bis zu dem damals in Blüte stehenden Königsstädtischen Theater nur ein paar hundert Schritte hatte. War er dann wieder in Tschechin zurück, so gab er den Freunden und Stammgästen in der Weinstube, zu denen jetzt auch Schulze Woytasch gehörte, nicht bloß Szenen aus dem Angelyschen »Fest der Handwerker« und Holteis »Altem Feldherrn« und den »Wienern in Berlin« zum besten, sondern sang ihnen auch allerlei Lieder und Arien vor: »War's vielleicht um eins, war's vielleicht um zwei, war's vielleicht drei oder vier.« Und dann wieder: »In Berlin, sagt er, mußt du fein, sagt er, immer sein, sagt er« etc. Denn er besaß eine gute Tenorstimme. Besonderes Glück aber, weit über die Singspiel-Arien hinaus, machte er mit dem Leierkastenlied von »Herrn Schmidt und seinen sieben heiratslustigen Töchtern«, dessen erste Strophe lautete:

Herr Schmidt, Herr Schmidt,
Was kriegt denn Julchen mit?
»Ein Schleier und ein Federhut,
Das kleidet Julchen gar zu gut.«

Dies Lied von Herrn Schmidt und seinen Töchtern war das Entzücken Kunickes, das verstand sich von selbst, aber auch Schulze Woytasch versicherte jedem, der es hören wollte: »Für Hradscheck ist mir nicht bange; der kann ja jeden Tag aufs Theater. Ich habe Beckmann gesehn; nu ja, Beckmann is gut, aber Hradscheck is besser; er hat noch so was, ja wie soll ich sagen, er hat noch so was, was Beckmann nicht hat.«

Hradscheck gewöhnte sich an solchen Beifall, und wenn es sich auch gelegentlich traf, daß er bei seinem Berliner Aufenthalte, während dessen er allemal eine goldene Brille trug, keine Novität gesehen hatte, so kam er doch nie mit leeren Händen zurück, weil er sich nicht eher zufriedengab, als bis er an den Schaufenstern der Buchläden irgendwas Komisches und unbändig Witziges ausgefunden hatte. Das hielt auch nie schwer, denn es war gerade die »Glaßbrenner- oder Brennglas-Zeit«, und wenn es solche Glaßbrenner-Geschichten nicht sein konnten, nun, so waren es Sammlungen alter und neuer Anekdoten, die damals in kleinen dürftigen Viergroschen-Büchelchen unter allerhand Namen und Titeln, so beispielsweise als »Brausepulver«, feilgeboten wurden. Ja diese Büchelchen fanden bei den Tschechinern einen ganz besondern Beifall, weil die darin erzählten Geschichten immer kurz waren und nie lange auf die Pointe warten ließen, und wenn das Gespräch mal stockte, so hatte Kunicke den Stammwitz: »Hradscheck, ein Brausepulver.«

Es war Anfang Oktober, als Hradscheck wieder mal in Berlin war, diesmal auf mehrere Tage, während er sonst immer den dritten Tag schon wieder nach Hause kam. Ede, der mittlerweile das Geschäft versah, paßte gut auf den Dienst, und nur in der Stunde von eins bis zwei, wo sich kaum ein Mensch im Laden sehen ließ, gefiel er sich darin, den Herrn zu spielen und, ganz so wie Hradscheck zu tun pflegte, mit auf den Rücken gelegten Händen im Garten auf und ab zu gehen. Das tat er auch heute wieder, zugleich aber rief er nach Jakob und trug ihm auf, und zwar in ziemlich befehlshaberischem Tone, daß er einen neuen Reifen um die Wassertonne legen solle. Dann sah er nach den Starkästen am Birnbaum und zog einen Zweig zu sich herab, um noch eine der nachgereiften »Franzosenbirnen« zu pflücken. Es war ein Prachtexemplar, in das er sofort einbiß. Als er aber den Zweig wieder losließ, sah er, daß die Jeschke drüben am Zaune stand.

»Dag, Ede.«

»Dag, Mutter Jeschke.«

»Na, schmeckt et?«

»I worümm nich? Is joa 'ne Malvasier.«

»Joa. Vördem wihr et 'ne Malvesier. Awers nu …«

»Nu is et 'ne ›Franzosenbeer‹. Ick weet woll. Awers dat 's joa all een.«

»Joa, wer weet, Ede. Doa is nu so wat mang. Heste noch nix maarkt?«

Der Junge ließ erschreckt die Birne fallen, das alte Weib aber bückte sich danach und sagte: »Ick meen joa nich de Beer'. Ick meen sünnsten.«

»Wat denn? Wo denn?«

»Na, so rümm um 't Huus.«

»Nei, Mutter Jeschke.«

»Un ook nich unnen in 'n Keller? Hest noch nix siehn o'r hürt?«

»Nei, Mutter Jeschke. Man blot …«

»Un grapscht ook nich?«

Der Junge war ganz blaß geworden.

»Joa, Mutter Jeschke, mal wihr mi so. Mal wihr mi so, as hüll mi wat an de Hacken. Joa, ick glöw, et grapscht.«

Die Jeschke sah ihren Zweck erreicht und lenkte deshalb geschickt wieder ein. »Ede, du bist 'ne Bangbüchs. Ick hebb joa man spoaßt. Is joa man all dumm Tüg.«

Und damit ging sie wieder auf ihr Haus zu und ließ den Jungen stehn.

Drei Tage danach war Hradscheck wieder aus Berlin zurück, in vergnüglicherer Stimmung als seit lange, denn er hatte nicht nur alles Geschäftliche glücklich erledigt, sondern auch die Bekanntschaft einer jungen Dame gemacht, die sich seiner Person wie seinen Heiratsplänen geneigt gezeigt hatte. Diese junge Dame war die Tochter aus einem Destillationsgeschäft, groß und stark, mit etwas hervortretenden, immer lachenden Augen, eine Vollblut-Berlinerin. »Forsch und fidel« war ihre Losung, der auch ihre Lieblingsredensart »Ach, das ist ja zum Totlachen« entsprach. Aber dies war nur so für alle Tage. Wurd ihr dann wohliger ums Herz, so wurden es auch ihre Redewendungen, und sie sagte dann: »I da muß ja 'ne alte Wand wackeln«, oder: »Das ist ja gleich, um einen Puckel zu kriegen.« Ihr Schönstes waren Landpartien einschließlich gesellschaftlicher Spiele wie Zeck oder Plumpsack, dazu saure Milch mit Schwarzbrot und Heimfahrt mit Stocklaternen und Gesang: »Ein freies Leben führen wir«, »Frisch auf, Kameraden«, »Lützows wilde verwegene Jagd« und »Steh ich in finstrer Mitternacht«. In Folge welcher ausgesprochenen Vorliebe sie sich in den Kopf gesetzt hatte, nur aufs Land hinaus heiraten zu wollen. Und darüber war sie dreißig Jahr alt geworden, alles bloß aus Eigensinn und Widerspenstigkeit. Ihren Namen »Editha« aber hatte die Mutter in Dittchen abgekürzt.

So die Bekanntschaft, die Hradscheck während seines letzten Berliner Aufenthaltes gemacht hatte. Mit Editha selbst war er so gut wie einig, und nur die Eltern hatten noch kleine Bedenken. Aber was bedeutete das? Der Vater war ohnehin daran gewöhnt, nicht gefragt zu werden, und die Mutter, die nur wegen der neun Meilen Entfernung noch einigermaßen schwankte, wäre keine richtige

Mutter gewesen, wenn sie nicht schließlich auch hätte Schwiegermutter sein wollen.

Also Hradscheck war in bester Stimmung, und ein Ausdruck derselben war es, daß er diesmal mit einem besonders großen Vorrat von Berliner Witzliteratur nach Tschechin zurückkehrte, darunter eine komische Romanze, die letzten Sonntag erst vom Hofschauspieler Rüthling im Konzertsaale des Königlichen Schauspielhauses vorgetragen worden war, und zwar in einer Matinee, der, neben der ganzen haute volée von Berlin, auch Hradscheck und Editha beigewohnt hatten. Diese Romanze behandelte die berühmte Geschichte vom Eckensteher, der einen armen Apothekerlehrling, »weil das Räucherkerzchen partout nicht stehn wolle«, Schlag Mitternacht aus dem Schlaf klingelte, welche Geschichte damals nicht bloß die ganze vornehme Welt, sondern besonders auch unsern auf alle Berliner Witze ganz wie versessenen Hradscheck derart hingenommen hatte, daß er die Zeit, sie seinem Tschechiner Convivium vorzulesen, kaum erwarten konnte. Nun aber war es soweit, und er feierte Triumphe, die fast noch größer waren, als er zu hoffen gewagt hatte. Kunicke brüllte vor Lachen und bot den dreifachen Preis, wenn ihm Hradscheck das Büchelchen ablassen wolle. »Das müß er seiner Frau vorlesen, wenn er nach Hause komme, diese Nacht noch; so was sei noch gar nicht dagewesen.« Und dann sagte Schulze Woytasch: »Ja, die Berliner! Ich weiß nicht! Und wenn mir einer tausend Taler gäbe, so was könnt ich nich machen. Es sind doch verflixte Kerls.«

Die »Romanze vom Eckensteher« indes, so glänzend ihr Vortrag abgelaufen war, war doch nur Vorspiel und Plänkelei gewesen, darin Hradscheck sein bestes Pulver noch nicht verschossen hatte. Sein Bestes, oder doch das, was er persönlich dafür hielt, kam erst nach und war die Geschichte von einem der politischen Polizei zugeteilten Gensdarmen, der einen unter Verdacht des Hochverrats stehenden und in der Kurstraße wohnenden badischen Studenten namens Haitzinger ausfindig machen sollte, was ihm auch gelang und einige Zeit danach zu der amtlichen Meldung führte, daß er den pp. Haitzinger, der übrigens Blümchen heiße, gefunden habe, trotzdem derselbe nicht in der Kurstraße, sondern auf dem Spittelmarkt wohnhaft und nicht badischer Student, sondern ein sächsischer Leineweber sei. »Und nun, ihr Herren und Freunde«, schloß Hradscheck seine Geschichte, »dieser ausbündig gescheite Gensdarm, wie hieß er? Natürlich Geelhaar, nicht wahr? Aber nein, ihr Herren, fehlgeschossen, er hieß bloß Müller II. Ich habe mich genau danach erkundigt, sonst hätt ich bis an mein Lebensende geschworen, daß er Geelhaar geheißen haben müsse.«

Kunicke schüttelte sich und wollte von keinem andern Namen als Geelhaar wissen, und als man sich endlich ausgetobt und ausgejubelt hatte (nur Woytasch, als Dorfobrigkeit, sah etwas mißbilligend drein), sagte Quaas: »Kinder, so was haben wir nicht alle Tage, denn Hradscheck kommt nicht alle Tage von Berlin. Ich denke deshalb, wir machen noch eine Bowle: drei Mosel, eine Rheinwein, eine Burgunder. Und nicht zu süß. Sonst haben wir morgen Kopfweh. Es ist erst halb zwölf, fehlen noch fünf Minuten. Und wenn wir uns ranhalten, machen wir um Mitternacht die Nagelprobe.«

»Bravo!« stimmte man ein. »Aber nicht zu früh; Mitternacht ist zu früh.«

Und Hradscheck erhob sich, um Ede, der verschlafen im Laden auf einem vorgezogenen Zuckerkasten saß, in den Keller zu schicken und die fünf Flaschen heraufholen zu lassen. »Und paß auf, Ede; der Burgunder liegt durcheinander, roter und weißer, der mit dem grünen Lack ist es.«

Ede rieb sich den Schlaf aus den Augen, nahm Licht und Korb und hob die Falltür auf, die zwischen den übereinandergepackten Ölfässern, und zwar an der einzig frei gebliebenen Stelle, vom Flur her in den Keller führte.

Nach ein paar Minuten war er wieder oben und klopfte vom Laden her an die Tür, zum Zeichen, daß alles da sei.

»Gleich«, rief der wie gewöhnlich mitten in einem Vortrage steckende Hradscheck, »gleich«, und trat erst, als er seinen Satz beendet hatte, von der Weinstube her in den Laden. Hier schob er sich eine schon vorher aus der Küche heranbeorderte Terrine bequem zurecht und griff nach dem Korkzieher, um die Flaschen aufzuziehn. Als er aber den Burgunder in die Hand nahm, gab er dem Jungen, halb ärgerlich, halb gutmütig, einen Tipp auf die Schulter und sagte: »Bist ein Döskopp, Ede. Mit grünem Lack, hab ich dir gesagt. Und das ist gelber. Geh und hol 'ne richtige Flasche. Wer's nich im Kopp hat, muß es in den Beinen haben.«

Ede rührte sich nicht.

»Nun, Junge, wird es? Mach flink.«

»Ick geih nich.«

»Du gehst nich? warum nich?«

»Et spökt.«

»Wo?«

»Unnen … Unnen in 'n Keller.«

»Junge, bist du verrückt? Ich glaube, dir steckt schon der Mitternachtsgrusel im Leibe. Rufe Jakob. Oder nein, der is schon zu Bett; rufe Male, *die* soll kommen und dich beschämen. Aber laß nur.«

Und dabei ging er selber bis an die Küchentür und rief hinaus: »Male.«

Die Gerufene kam.

»Geh in den Keller, Male.«

»Nei, Herr Hradscheck, ick geih nich.«

»Auch *du* nich. Warum nich?«

»Et spökt.«

»In 's Dreideibels Namen, was soll der Unsinn?«

Und er versuchte zu lachen. Aber er hielt sich dabei nur mit Müh auf den Beinen, denn ihn schwindelte. Zu gleicher Zeit empfand er deutlich, daß er kein Zeichen von Schwäche geben dürfe, vielmehr umgekehrt bemüht sein müsse, die Weigerung der beiden ins Komische zu ziehn, und so riß er denn die Tür zur Weinstube weit auf und rief hinein: »Eine Neuigkeit, Kunicke …«

»Nu, was gibt's?«

»Unten spukt es. Ede will nicht mehr in den Keller und Male natürlich auch nicht. Es sieht schlecht aus mit unsrer Bowle. Wer kommt mit? Wenn zwei kommen, spukt es nicht mehr.«

»Wir alle«, schrie Kunicke. »Wir alle. Das gibt einen Hauptspaß. Aber Ede muß auch mit.«

Und bei diesen Worten eines der zur Hand stehenden Lichter nehmend, zogen sie – mit Ausnahme von Woytasch, dem das Ganze mißhagte – brabbelnd und plärrend und in einer Art Prozession, als ob einer begraben würde, von der Weinstube her durch Laden und Flur und stiegen langsam und immer einer nach dem andern die Stufen der Kellertreppe hinunter.

»Alle Wetter, is *das* ein Loch!« sagte Quaas, als er sich unten umkuckte. »Hier kann einem ja gruslig werden. Nimm nur gleich ein paar mehr mit, Hradscheck. Das hilft. Je mehr Fidélité je weniger Spuk.«

Und bei solchem Gespräch, in das Hradscheck einstimmte, packten sie den Korb voll und stiegen die Kellertreppe wieder hinauf. Oben aber warf Kunicke, der schon stark angeheitert war, die schwere Falltür zu, daß es durch das ganze Haus hin dröhnte.

»So, nu sitzt er drin.«

»Wer?«

»Na wer? Der Spuk.«

Alles lachte; das Trinken ging weiter, und Mitternacht war lange vorüber, als man sich trennte.

ACHTZEHNTES KAPITEL

Hradscheck, sonst mäßig, hatte mit den andern um die Wette getrunken, bloß um eine ruhige Nacht zu haben. Das war ihm auch geglückt, und er schlief nicht nur fest, sondern auch weit über seine gewöhnliche Stunde hinaus. Erst um acht Uhr war er auf. Male brachte den Kaffee, die Sonne schien ins Zimmer, und die Sperlinge, die das aus den Häckselsäcken gefallene Futterkorn aufpickten, flogen, als sie damit fertig waren, aufs Fensterbrett und meldeten sich. Ihre Zwitschertöne hatten etwas Heitres und Zutrauliches, das dem Hausherrn, der ihnen reichlich Semmelkrume zuwarf, unendlich wohltat, ja, fast war's ihm, als ob er ihren Morgengruß verstände: »Schöner Tag heute, Herr Hradscheck; frische Luft; alles leichtnehmen!«

Er beendete sein Frühstück und ging in den Garten. Zwischen den Buchsbaumrabatten stand viel Rittersporn, halb noch in Blüte, halb schon in Samenkapseln, und er brach eine der Kapseln ab und streute die schwarzen Körnchen in seine Handfläche. Dabei fiel ihm, wie von ungefähr, ein, was ihm Mutter Jeschke vor Jahr und Tag einmal über Farnkrautsamen und Sich-unsichtbar-Machen gesagt hatte. »Farnkrautsamen in die Schuh gestreut ...« Aber er mocht es nicht ausdenken und sagte, während er sich auf eine neuerdings um den Birnbaum herum angebrachte Bank setzte: »Farnkrautsamen! Nun fehlt bloß noch das Licht vom ungebornen Lamm. Alles Altweiberschwatz. Und wahrhaftig, ich werde noch selber ein altes Weib ... Aber da kommt sie ...«

Wirklich, als er so vor sich hin redete, kam die Jeschke zwischen den Spargelbeeten auf ihn zu.

»Dag, Hradscheck. Wie geiht et? Se kümmen joa goar nich mihr.«

»Ja, Mutter Jeschke, wo soll die Zeit herkommen? Man hat eben zu tun. Und der Ede wird immer dummer. Aber setzen Sie sich. Hierher. Hier ist Sonne.«

»Nei, loaten S' man, Hradscheck, loaten S' man. Ick sitt schon so veel. Awers Se möten sitten bliewen.« Und dabei malte sie mit ihrem Stock allerlei Figuren in den Sand.

Hradscheck sah ihr zu, ohne seinerseits das Wort zu nehmen, und so fuhr sie nach einer Pause fort: »Joa, veel to dohn is woll. Wihr joa gistern wedder Klock een. Kunicke kunn woll wedder nich loskoamen? *Den* kenn ick. Na, sien

Vader, de oll Kunicke, wihr ook so. Man blot noch en beten mihr.«

»Ja«, lachte Hradscheck, »spät war es. Und denken Sie sich, Mutter Jeschke, Klock zwölf oder so herum sind wir noch fünf Mann hoch in den Keller gestiegen. Und warum? Weil der Ede nicht mehr wollte.«

»Nu, süh eens. Un worümm wull he nich?«

»Weil's unten spuke. Der Junge war wie verdreht mit seinem ewigen ›et spökt‹ und ›et grapscht‹. Und weil er dabei blieb und wir unsre Bowle doch haben wollten, so sind wir am Ende selber gegangen.«

»Nu, süh eens«, wiederholte die Alte. »Hätten em salln 'ne Muulschell gewen.«

»Wollt ich auch. Aber als er so dastand und zitterte, da konnt ich nicht. Und dann dacht ich auch …«

»Ach wat, Hradscheck, is joa all dumm Tüg … Un *wenn* et wat is, na, denn möt et de Franzos sinn.«

»Der Franzose?«

»Joa, de Franzos. Kucken S' moal; de Ihrd geiht hier so 'n beten dahl. He moak woll en beten rutscht sinn.«

»Rutscht sinn«, wiederholte Hradscheck und lachte mit der Alten um die Wette. »Ja, der Franzos ist gerutscht. Alles gut. Aber wenn ich nur den Jungen erst wieder in Ordnung hätte. Der macht mir das ganze Dorf rebellisch. Und wie die Leute sind, wenn sie von Spuk hören, da wird ihnen ungemütlich. Und dann kommt zuletzt auch die dumme Geschichte wieder zur Sprache. Sie wissen ja …«

»Woll, woll, ick weet.«

»Und dann, Mutter Jeschke, Spuk ist Unsinn. Natürlich. Aber es gibt doch welche …«

»Joa, joa.«

»Es gibt doch welche, die sagen: Spuk ist *nicht* Unsinn. Wer hat nu recht? Nu mal heraus mit der Sprache.«

Der Alten entging nicht, in welcher Pein und Beklemmung Hradscheck war, weshalb sie, wie sie stets zu tun pflegte, mit einem »Ja« antwortete, das ebensogut ein »Nein«, und mit einem »Nein«, das ebensogut ein »Ja« sein konnte.

»Mien leew Hradscheck«, begann sie. »Se wullen wat weten von mi. Joa, wat weet ick? Spök! Gewen moak et joa woll so wat. Un am Enn' ook wedder nich. Un ick segg ümmer: wihr sich jrult, för den is et wat, und wihr sich *nich* jrult, för den is et nix.«

Hradscheck, der mit gespanntester Aufmerksamkeit gefolgt war, nickte zustimmend, während die sich plötzlich neben ihn setzende Alte mit wachsender Vertraulichkeit fortfuhr: »Ick will Se wat seggen, Hradscheck. Man möt man blot Kurasch hebben. Un Se hebben joa. Wat is Spök? Spök, dat 's grad so, as wenn de Müüs knabbern. Wihr ümmer hinhürt, na, de slöppt nich; wihr awers so bi sich seggen deiht: ›Na, worümm salln se nich knabbern‹, de slöppt.«

Und bei diesen Worten erhob sie sich rasch wieder und ging, zwischen den Beeten hin, auf ihre Wohnung zu. Mit einem Mal aber blieb sie stehn und wandte sich wieder, wie wenn sie was vergessen habe. »Hüren S', Hradscheck, wat ick Se noch seggen wull, uns' Line kümmt ook wedder. Se hett gistern schrewen. Wat mienen S'? *De* wihr so wat för Se.«

»Geht nicht, Mutter Jeschke. Was würden die Leute sagen? Un is auch eben erst ein Jahr.«

»Woll. Awers se kümmt ook ihrst um Martini rümm … Und denn, Hradscheck, Se bruken se joa nich glieks to frijen.«

Neunzehntes Kapitel

»De Franzos is rutscht«, hatte die Jeschke gesagt und war dabei wieder so sonderbar vertraulich gewesen, alles mit Absicht und Berechnung. Denn wenn das Gespräch auch noch nachwirkte, darin ihr, vor länger als einem Jahr, ihr sonst so gefügiger Nachbar mit einer Verleumdungsklage gedroht hatte, so konnte sie, trotz alledem, von der Angewohnheit nicht lassen, in dunklen Andeutungen zu sprechen, als wisse sie was und halte nur zurück.

»Verdammt!« murmelte Hradscheck vor sich hin. »Und dazu der Ede mit seiner ewigen Angst.«

Er sah deutlich die ganze Geschichte wieder lebendig werden, und ein Schwindel ergriff ihn, wenn er an all das dachte, was bei diesem Stande der Dinge jeder Tag bringen konnte.

»Das geht so nicht weiter. Er muß weg. Aber wohin?«

Und bei diesen Worten ging Hradscheck auf und ab und überlegte.

»Wohin? Es heißt, er liege in der Oder. Und dahin muß er … je eher, je lieber … *Heute* noch. Aber ich wollte, dies Stück Arbeit wäre getan. Damals ging es, das Messer saß mir an der Kehle. Aber jetzt! Wahrhaftig, das Einbetten war nicht so schlimm, als es das Umbetten ist.«

Und von Angst und Unruhe getrieben, ging er auf den Kirchhof und trat an das Grab seiner Frau. Da war der Engel mit der Fackel, und er las die Inschrift. Aber seine Gedanken konnten von dem, was er vorhatte, nicht los, und als er wieder zurück war, stand es fest: »Ja, *heute* noch … Was du tun willst, tue bald.«

Und dabei sann er nach, *wie's* geschehn müsse.

»Wenn ich nur etwas Farnkraut hätte. Aber wo gibt es Farnkraut hier? Hier wächst ja bloß Gras und Gerste, weiter nichts, und ich kann doch nicht zehn Meilen in der Welt herumkutschieren, bloß um mit einem großen Busch Farnkraut wieder nach Hause zu kommen. Und warum auch? Unsinn ist es doch.«

Er sprach noch so weiter. Endlich aber entsann er sich, in dem benachbarten Gusower Park einen ganzen Wald von Farnkraut gesehn zu haben. Und so rief er denn in den Hof hinaus und ließ anspannen.

Um Mittag kam er zurück, und vor ihm, auf dem Rücksitze des Wagens, lag ein riesiger Farnkrautbusch. Er kratzte die Samenkörnchen ab und tat sie sorglich in eine Papierkapsel und die Kapsel in ein Schubfach. Dann ging er noch einmal alles durch, was er brauchte, trug das Grabscheit, das für gewöhnlich neben der Gartentür stand, in den Keller hinunter und war wie verwandelt, als er mit diesen Vorbereitungen fertig war.

Er pfiff und trällerte vor sich hin und ging in den Laden.

»Ede, du kannst heute nachmittag ausgehn. In Gusow ist Jahrmarkt mit Carrousel und sind auch Kunstreiter da, das heißt Seiltänzer. Ich hab heute vormittag das Seil spannen sehn. Und vor acht brauchst du nicht wieder hier zu sein. Da nimm, das ist für dich, und nun amüsiere dich gut. Und is auch ’ne Waffelbude da, mit Eierbier und Punsch. Aber hübsch mäßig, nich zuviel; hörst du, keine Dummheiten machen.«

Ede strahlte vor Glück, machte sich auf den Weg und war Punkt acht wieder da. Zugleich mit ihm kamen die Stammgäste, die, wie gewöhnlich, ihren Platz in der Weinstube nahmen. Einige hatten schon erfahren, daß Hradscheck am Vormittag in Gusow gewesen und mit einem großen Busch Farnkraut zurückgekommen sei.

»Was du nur mit dem Farnkraut willst?« fragte Kunicke.

»Anpflanzen.«

»Das wuchert ja. Wenn das drei Jahr in deinem Garten steht, weißt du vor Unkraut nicht mehr, wo du hin sollst.«

»Das soll es auch. Ich will einen hohen Zaun davon ziehn. Und je rascher es wächst, desto besser.«

»Na, sieh dich vor damit. Das ist wie die Wasserpest; wo sich das mal eingenistet hat, ist kein Auskommen mehr. Und vertreibt dich am Ende von Haus und Hof.«

Alles lachte, bis man zuletzt auf die Kunstreiter zu sprechen kam und an Hradscheck die Frage richtete, was er denn eigentlich von ihnen gesehen habe.

»Bloß das Seil. Aber Ede, der heute nachmittag da war, der wird wohl Augen gemacht haben.«

Und nun erzählte Hradscheck des breiteren, daß *der*, dem die Truppe jetzt gehöre, des alten Kolter Schwiegersohn sei, ja, die Frau desselben nenne sich noch immer nach dem Vater und habe den Namen ihres Mannes gar nicht angenommen.

Er sagte das alles so hin, wie wenn er die Kolters ganz genau kenne, was den Ölmüller zu verschiedenen Fragen über die berühmte Seiltänzerfamilie veranlaßte. Denn Springer und Kunstreiter waren Quaasens unentwegte Passion, seit er als zwanzigjähriger Junge mal auf dem Punkte gestanden hatte, mit einer Kunstreiterin auf und davon zu gehn. Seine Mutter jedoch hatte Wind davon gekriegt und ihn nicht bloß in den Milchkeller gesperrt, sondern auch den Direktor der Truppe gegen ein erhebliches Geldgeschenk veanlaßt, die »gefährliche Person« bis nach Reppen hin vorauszuschicken. All das, wie sich denken läßt, gab auch heute wieder Veranlassung zu vielfachen Neckereien, und um so mehr, als Quaas ohnehin des Vorzugs genoß, Stichblatt der Tafelrunde zu sein.

»Aber was is das mit Kolter?« fragte Kunicke. »Du wolltest von ihm erzählen, Hradscheck. Is es ein Reiter oder ein Springer?«

»Bloß ein Springer. Aber was für einer!«

Und nun fing Hradscheck an, eine seiner Hauptgeschichten zum besten zu geben, die vom alten Kolter nämlich, der Anno 14 schon sehr berühmt und mit in Wien auf dem Kongreß gewesen sei.

»Was, was? Mit auf dem Kongreß?«

»Versteht sich. Und warum nicht?«

»Auf dem Kongreß also.«

Und da habe denn, so fuhr Hradscheck fort, der König von Preußen zum Kaiser von Rußland gesagt: »Höre, Bruderherz, was du von deinem Stiglischeck auch sagen magst, Kolter ist doch besser, Parole d'honneur, Kolter ist der erste Springer der Welt, und was ihm auch passieren mag, er wird sich immer zu helfen wissen.« Und als nun der Kaiser von Rußland das bestritten, da hätten sie gewettet, und wäre bloß *die* Bedingung gewesen, daß nichts vorher gesagt werden solle. Das hätten sie denn auch gehalten. Und als nun Kolter halb schon das zwischen zwei Türmen ausgespannte Seil hinter sich gehabt habe, da sei mit einem Male, von der andern Seite her, ein andrer Seiltänzer auf ihn losgekommen, das sei Stiglischeck gewesen, und keine Minute mehr, da hätten sie sich gegenübergestanden, und der Russe, was ihm auch keiner verdenken könne, habe bloß gesagt: »Alles perdu, Bruder: du verloren, ich verloren.« Aber Kolter habe nur gelacht und ihm was ins Ohr geflüstert, einige sagen, einen frommen Spruch, andre aber sagen, das Gegenteil, und sei dann mit großer Anstrengung und Geschicklichkeit zehn Schritte rückwärts gegangen, während der andre sich niedergehuckt habe. Und nun habe Kolter einen Anlauf genommen und sei mit eins, zwei, drei über den andern weggesprungen. Da sei denn ein furchtbares Beifallklatschen gewesen, und einige hätten laut geweint und immer wieder und wieder gesagt, »das sei mehr als Napoleon«. Und der Kaiser von Rußland habe seine Wette verloren und auch wirklich bezahlt.

»Wird er wohl, wird er wohl«, sagte Kunicke. »Der Russe bezahlt immer. Hat's ja ... Bravo, Hradscheck; bravo!«

So war Hradscheck mit Beifall belohnt worden und hatte von Viertelstunde zu Viertelstunde noch vieles andre zum besten gegeben, bis endlich um elf die Stammgäste das Haus verließen.

Ede war schon zu Bett geschickt, und in dem weiten Hause herrschte Todesstille. Hradscheck schritt auf und ab in seiner Stube, mußte sich aber setzen, denn der Aufregungen dieses Tages waren so viele gewesen, daß er sich, trotz fester Nerven, einer Ohnmacht nahe fühlte. So lang er drüben Geschichten erzählt hatte, munterer und heiterer, so wenigstens schien es, als je zuvor, war kein Tropfen Wein über seine Lippen gekommen, jetzt aber nahm er Kognak und Wasser und fühlte, wie Kraft und Entschlossenheit ihm rasch wiederkehrten. Er ging auf das Schubfach zu, drin er das Kapselchen versteckt hatte, zog gleich danach seine Schuh aus und pulverte von dem Farnkrautsamen hinein.

»So!«

Und nun stand er wieder in seinen Schuhen und lachte.

»Will doch mal die Probe machen! Wenn ich jetzt unsichtbar bin, muß ich mich auch selber nicht sehen können.«

Und das Licht zur Hand nehmend, trat er vor den schmalen Trumeau mit dem weißlackierten Rahmen und sah hinein und nickte seinem Spiegelbilde zu. »Guten Tag, Abel Hradscheck. Wahrhaftig, wenn alles soviel hilft wie der Farnkrautsamen, so werd ich nicht weit kommen und bloß noch das angenehme Gefühl haben, ein Narr gewesen zu sein und ein Dummkopf, den ein altes Weib genasführt hat. Die verdammte Hexe! Warum lebt sie? Wäre sie weg, so hätt ich längst Ruh und brauchte diesen Unsinn nicht. Und brauchte nicht ...« Ein Grusel überlief ihn, denn das Furchtbare, was er vorhatte, stand mit einem Male wieder vor seiner Seele. Rasch aber bezwang er sich. »Eins kommt aus dem andern. Wer A sagt, muß B sagen.«

Und als er so gesprochen und sich wieder zurechtgerückt hatte, ging er auf einen kleinen Eckschrank zu und nahm ein Laternchen heraus, das er sich schon vorher durch Überkleben mit Papier in eine Art Blendlaterne umgewandelt hatte. Die Alte drüben sollte den Lichtschimmer nicht wieder sehn und ihn nicht zum wievielsten Male mit ihrem »Ick weet nich, Hradscheck, wihr et in de Stuw or wihr et in 'n Keller« in Wut und Verzweiflung bringen. Und nun zündete er das Licht an, knipste die Laternentür wieder zu und trat rasch entschlossen auf den Flur hinaus. Was er brauchte, darunter auch ein Stück alter Teppich, aus langen Tuchstreifen geflochten, lag längst unten in Bereitschaft.

»Vorwärts, Hradscheck!«

Und zwischen den großen Ölfässern hin ging er bis an den Kellereingang, hob die Falltür auf und stieg langsam und vorsichtig die Stufen hinunter. Als er aber unten war, sah er, daß die Laterne, trotz der angebrachten Verblendung, viel zuviel Licht gab und nach oben hin, wie aus einem Schlot, einen hellen Schein warf. Das durfte nicht sein, und so stieg er die Treppe wieder hinauf, blieb aber in halber Höhe stehn und griff bloß nach einem ihm in aller Bequemlichkeit zur Hand liegenden Brett, das hier an das nächstliegende Ölfaß herangeschoben war, um die ganze Reihe der Fässer am Rollen zu verhindern. Es war nur schmal, aber doch gerade breit genug, um unten das Kellerfenster zu schließen.

»Nun mag sie sich drüben die Augen auskucken. Meinetwegen. Durch ein Brett wird sie ja wohl nicht sehn können. Ein Brett ist besser als Farnkrautsamen …«

Und damit schloß er die Falltür und stieg wieder die Stufen hinunter.

Zwanzigstes Kapitel

Ede war früh auf und bediente seine Kunden. Dann und wann sah er nach der kleinen, im Nebenzimmer hängenden Uhr, die schon auf ein Viertel nach acht zeigte.

»Wo der Alte nur bleibt?«

Ede durfte die Frage schon tun, denn für gewöhnlich erschien Hradscheck mit dem Glockenschlage sieben, wünschte guten Morgen und öffnete die nach der Küche führende kleine Tür, was für die Köchin allemal das Zeichen war, daß sie den Kaffee bringen solle. Heut aber ließ sich kein Hradscheck sehn, und als es nah an neun heran war, steckte statt seiner nur Male den Kopf in den Laden hinein und sagte:

»Wo he man bliewt, Ede?«

»Weet nich.«

»Ick will geihn un en beten an sine Dör bullern.«

»Joa, dat du man.«

Und wirklich, Male ging, um ihn zu wecken. Aber sie kam in großer Aufregung wieder. »He is nich doa, nich in de Vör- un ook nich in de Hinnerstuw. Allens open un keene Dör to.«

»Un sien Bett?« fragte Ede.

»Allens glatt un ungeknüllt. He 's goar nich in west.«

Ede kam nun auch in Unruhe. Was war zu tun? Er wie

Male hatten ein unbestimmtes Gefühl, daß etwas ganz Absonderliches geschehen sein müsse, worin sie sich durch den schließlich ebenfalls erscheinenden Jakob nur noch bestärkt sahen. Nach einigem Beraten kam man überein, daß Jakob zu Kunicke hinübergehn und wegen des Abends vorher anfragen solle; Kunicke müß es wissen, der sei immer der letzte. Male dagegen solle rasch nach dem Krug laufen, wo Gensdarm Geelhaar um diese Stunde zu frühstücken und der alten Krügerschen, die manchen Sturm erlebt hatte, schöne Dinge zu sagen pflegte. Das geschah denn auch alles, und keine Viertelstunde, so sah man Geelhaar die Dorfstraße herunterkommen, mit ihm Schulze Woytasch, der sich, einer abzuhaltenden Versammlung halber, zufällig ebenfalls im Kruge befunden hatte. Vor Hradschecks Tür trafen beide mit Kunicke zusammen. Man begrüßte sich stumm und überschritt mit einer gewissen Feierlichkeit die Schwelle.

Drin im Hause hatte sich mittlerweile die Szene verändert.

Ede, der noch eine Zeitlang in allen Ecken und Winkeln umhergesucht hatte, stand jetzt, als die Gruppe sich näherte, mitten auf dem Flur und wies auf ein großes Ölfaß, das um ein geringes vorgerollt war, nur zwei Fingerbreit, nur bis an den großen Eisenring, aber doch gerade weit genug, um die Falltür zu schließen.

»Doa sitt he in«, schrie der Junge.

»Schrei nicht so!« fuhr ihn Schulze Woytasch an. Und Kunicke setzte mit mehr Derbheit, aber auch mit größerer Gemütlichkeit hinzu: »Halt 's Maul, Junge.«

Dieser jedoch war nicht zur Ruh zu bringen, und sein bißchen Schläfenhaar immer mehr in die Höh schiebend, fuhr er in demselben Weimertone fort: »Ick weet allens. Dat 's de Spök. De Spök hett noah em grapscht. Un denn wull he rut un kunn nich.«

Um diese Zeit war auch Eccelius aus der Pfarre herübergekommen, leichenblaß und so von Ahnungen geängstigt, daß er, als man das Faß jetzt zurückgeschoben und die

Falltür geöffnet hatte, nicht mit hinuntersteigen mochte, sondern erst in den Laden und gleich darnach auf die Dorfgasse hinaustrat.

Geelhaar und Schulze Woytasch, schon von Amts wegen auf beßre Nerven gestellt, hatten inzwischen ihren Abstieg bewerkstelligt, während Kunicke, mit einem Licht in der Hand, von oben her in den Keller hineinleuchtete. Da nicht viele Stufen waren, so konnt er das Nächste bequem sehn: unten lag Hradscheck, allem Anscheine nach tot, ein Grabscheit in der Hand, die zerbrochene Laterne daneben. Unser alter Anno-Dreizehner sah sich bei diesem Anblick seiner gewöhnlichen Gleichgültigkeit entrissen, erholte sich aber und kroch, unten angekommen, in Gemeinschaft mit Geelhaar und Woytasch auf die Stelle zu, wo hinter einem Lattenverschlage der Weinkeller war. Die Tür stand auf, etwas Erde war aufgegraben, und man sah Arm und Hand eines hier Verscharrten. Alles andre war noch verdeckt. Aber freilich, was sichtbar war, war gerade genug, um alles Geschehene klarzulegen.

Keiner sprach ein Wort, und mit einem scheuen Seitenblick auf den entseelt am Boden Liegenden stiegen alle drei die Treppe wieder hinauf.

Auch oben, wo sich Eccelius ihnen wieder gesellte, blieb es bei wenig Worten, was schließlich nicht wundernehmen konnte. Waren doch alle, mit alleiniger Ausnahme von Geelhaar, viel zu befreundet mit Hradscheck gewesen, als daß ein Gespräch über ihn anders als peinlich hätte verlaufen können. Peinlich und mit Vorwürfen gegen sich selbst gemischt. Warum hatte man bei der gerichtlichen Untersuchung nicht besser aufgepaßt, nicht schärfer gesehn? Warum hatte man sich hinters Licht führen lassen?

Nur das Nötigste wurde festgestellt. Dann verließ man das durch so viele Jahre hin mit Vorliebe besuchte Haus, das nun für jeden ein Haus des Schreckens geworden war. Kunicke schritt quer über den Damm auf seine Wohnung, Eccelius auf seine Pfarre zu. Woytasch war mit ihm.

»Das Küstriner Gericht«, hob Eccelius an, »wird nur wenig noch zu sagen haben. Alles ist klar, und doch ist nichts bewiesen. Er steht vor einem höheren Richter.«

Woytasch nickte. »Höchstens noch, was aus der Erbschaft wird«, bemerkte dieser und sah vor sich hin. »Er hat keine Verwandte hier herum und die Frau, so mir recht is, auch nich. Vielleicht, daß es der Pohlsche wiederkriegt. Aber das werden die Tschechiner nich wollen.«

Eccelius erwiderte: »Das alles macht mir keine Sorge. Was mir Sorge macht, ist bloß das: wie kriegen wir ihn unter die Erde und *wo*. Sollen wir ihn unter die guten Leute legen, das geht nicht, das leiden die Bauern nicht und machen uns eine Kirchhofs-Revolte. Und was das schlimmste ist, haben auch recht dabei. Und sein Feld wird auch keiner dazu hergeben wollen. Eine solche Stelle mag niemand auf seinem ehrlichen Acker haben.«

»Ich denke«, sagte der Schulze, »wir bringen ihn auf den Kirchhof. Bewiesen ist am Ende nichts. Im Garten liegt der Franzos, und im Keller liegt der Pohlsche. Wer will sagen, wer ihn da hingelegt hat? Keiner weiß es, nicht einmal die Jeschke. Schließlich ist alles bloß Verdacht. Auf den Kirchhof muß er also. Aber seitab, wo die Nesseln stehn und der Schutt liegt.«

»Und das Grab der Frau?« fragte Eccelius. »Was wird aus dem? Und aus dem Kreuz?«

»Das werden sie wohl umreißen, da kenn ich meine Tschechiner. Und dann müssen wir tun, Herr Pastor, als sähen wir's nicht. Kirchhofsordnung ist gut, aber der Mensch verlangt auch seine Ordnung.«

»Brav, Schulze Woytasch!« sagte Eccelius und gab ihm die Hand. »Immer 's Herz auf dem rechten Fleck!«

Geelhaar war im Hradscheckschen Hause zurückgeblieben. Er hatte den Polizei-Kehrmichnichtdran und machte nicht viel von der Sache. Was war es denn auch groß? Ein Fall mehr. Darüber ging die Welt noch lange nicht aus den Fugen. Und so ging er denn in den Laden, legte die Hand auf Edes Kopf und sagte: »Hör, Ede, das war heut ein bißchen scharf. So zwei Dodige gleich morgens um neun! Na, schenk mal was ein. Was nehmen wir denn?«

»Na, 'nen Rum, Herr Geelhaar.«

»Nei, Rum is mir heute zu schwach. Gib erst 'nen Kognak. Und dann ein' Rum.«

Ede schenkte mit zitternder Hand ein. Geelhaars Hand aber war um so sicherer. Als er ein paar Gläser geleert hatte, ging er in den Garten und spazierte drin auf und ab, als ob nun alles sein wäre. Das ganze Grundstück erschien ihm wie herrenloser Besitz, drin man sich ungeniert ergehen könne.

Die Jeschke, wie sich denken läßt, ließ auch nicht lang auf sich warten. Sie wußte schon alles und sah mal wieder über den Zaun.

»Dag, Geelhaar.«

»Dag, Mutter Jeschke ... Nu, was macht Line?«

»De kümmt to Martini. Se brukt sich joa nu nich mihr to jrulen.«

»Vor Hradscheck?« lachte Geelhaar.

»Joa. Vor Hradscheck. Awers nu sitt he joa fast.«

»Das tut er. Und gefangen in seiner eigenen Falle.«

»Joa, joa. De oll Voß! Nu kümmt he nich wedder rut. Fien wihr he. Awers to fien, loat man sien!«

Was noch geschehen mußte, geschah still und rasch, und schon um die neunte Stunde des folgenden Tages trug Eccelius nachstehende Notiz in das Tschechiner Kirchenbuch ein:

»Heute, den 3. Oktober, früh vor Tagesanbruch, wurde der Kaufmann und Gasthofsbesitzer Abel Hradscheck ohne Sang und Klang in den hiesigen Kirchhofsacker gelegt. Nur Schulze Woytasch, Gensdarm Geelhaar und Bauer Kunicke wohnten dem stillen Begräbnisakte bei. Der Tote, so nicht alle Zeichen trügen, wurde von der Hand Gottes getroffen, nachdem es ihm gelungen war, den schon früher gegen ihn wachgewordenen Verdacht durch eine besondere Klugheit wieder zu beschwichtigen. Er verfing sich aber schließlich in seiner List und grub sich, mit dem Grabscheit in der Hand, in demselben Augenblicke sein Grab, in dem er hoffen durfte, sein Verbrechen für immer aus der Welt geschafft zu sehn. Und bezeugte dadurch aufs neue die Spruchweisheit: ›*Es ist nichts so fein gesponnen, 's kommt doch alles an die Sonnen.*‹«

Anhang

Der Stoff

In die Erzählung »Unterm Birnbaum« sind stoffliche Anregungen eingeflossen, die Fontane zu verschiedenen Zeiten seines Lebens empfing. Die Grundlage bildet ein nicht aufgeklärter Mordfall in Letschin im Oderbruch, wo Fontanes Vater von 1838 bis 1850 Besitzer der Apotheke war und wo Fontane selbst sich wiederholt aufhielt. Hier wurde 1842, beim Bau von Bürgersteigen, auf dem Grundstück des Gasthofbesitzers Fitting ein Skelett entdeckt. Man brachte den Fund in Zusammenhang mit dem Verschwinden eines Stettiner Geschäftsreisenden, der sechs Jahre zuvor in dem Gasthof übernachtet hatte, und der Verdacht, den Reisenden ermordet und seinen Wagen in die Oder gefahren zu haben, richtete sich gegen den Gasthofbesitzer und seine Frau. Der Mord konnte jedoch nicht bewiesen werden, ebenso war die Identität des im Garten gefundenen Skeletts mit dem Vermißten nicht zweifelsfrei festzustellen. Fitting, dessen finanzielle Verhältnisse sich zunehmend verschlechterten, mußte bald danach den Gasthof aufgeben und starb verarmt, während Frau und Kinder nach Amerika auswanderten.

Dieser Kriminalfall lieferte Fontane das Handlungsgerüst; auch die örtlichen Gegebenheiten und die Grundzüge einzelner Charaktere der Erzählung entstammen dem vertrauten Letschin. In einem Brief an die Letschinerin Marie Walger vom 16. Februar 1886 heißt es:

»Es ist so, wie Sie vermuthen: Letschin, Eccius; die Villa mit dem Glaskasten soll die Kümmritzsche sein, und der ›Birnbaum‹ stand wirklich in dem zu meiner Zeit Hirschlaffschen Gasthofe mit seinen drei pompösen Judentöchtern.

Ein Vorbesitzer, der, als meine Eltern Anno 38 nach Letschin kamen, den später Hirschlaffschen Gasthof noch besaß und dann Gott weiß wohin zog, wurde, als man, ein paar Jahre darauf, ein Gerippe unter dem Birnbaum fand, beredet und als Mörder eines Reisenden ganz gemüthlich verdächtigt! Ich glaube aber nicht, daß man ein Recht dazu hatte. Jedenfalls schlief die Sache wieder ein, denn die damaligen Letschiner hatten 2 Tugenden:

1. glaubten sie von keinem Menschen was Gutes, und wenn
2. einer einen todt gemacht hatte, dann war es auch noch so.

Vielleicht haben sie sich seitdem geändert; es wird aber wohl nicht weit her sein.«

Die Darstellung des Dorfes und der Oderbruchbevölkerung entspricht dem Bild, das Fontane in einem Brief an seinen Leipziger Freund Wilhelm Wolfsohn vom 10. November 1847 zeichnet: »Letschin im Oderbruch, Kirchdorf mit 3500 Seelen und Residenz zweier dort stationirter Gensdarmen, hängt durch Vermittelung eines sogenannten Rippenbrechers von Postwagen nur lose mit der civilisirten Welt zusammen. Es ist ein zweites Klein-Sibirien; die Lebenszeichen einer Welt da draußen sind selten, aber – sie kommen doch vor.« Diese Einschätzung stimmt mit einem Brief aus dem Jahr 1838 überein (vermutlich von Fontanes Vater), der im zweiten Band der »Wanderungen« (1863) zitiert wird:

»Die Verhältnisse, die ich hier vorgefunden, sind die, durch alle Jahrhunderte hin immer wiederkehrenden, einer Viertel- und Halbkultur, Zustände, wie sie zu jeder Zeit und an jedem Orte sich einstellen, wo in noch völlig rohe und barbarische Gemeinschaften, ohne Zutun, ohne Mitwirkung, ohne rechte Teilnahme daran, ein Stück Kultur von außen hineingetragen wird. Das Wesen dieser Art von Existenzen ist die Disharmonie, der Mißklang, der Widerstreit. Durch gewisse Bildungsmanieren bricht immer wieder die alte Roheit durch, und im Einklange hiermit begegnet man auch in diesen reichen Oderbruchdörfern einem beständigen Gegensatze von Sparsamkeit und Verschwendung, von Kirchlichkeit und Aberglauben, von Ehrbarkeit und Sittenverderbnis. Der Bauer schreitet im langen Rock, ein paar weiße Handschuh an den Händen, langsam und gravitätisch nach der Kirche; aber er sitzt am Abend oder Nachmittag desselben Tages (einige beginnen gleich nach der Kirche) im ›Gasthofe‹ des Dorfes und vergnügt sich bei Spiel und Wein. Die Würfel rollen über das Brett, der sogenannte ›Tempel‹ wird mit Kreide auf den Tisch gemalt, alle Arten von Hasardspiel lösen sich untereinander ab, und um hundert Taler ärmer oder reicher, wüst im Kopfe, geht es weit nach Mitternacht nach Haus.

Und ähnlich in den Haushaltungen; krasser Luxus und das völlig mangelnde Verständnis für das, was wohltut und gefällt, laufen nebeneinander her. In dem Wohnzimmer steht ein großes Sofa mit blauseidenem Überzug, aber der Überzug ist zerrissen und eingefettet. Der Kupferstich an der Wand hängt völlig schief, und kein Auge sieht es. Das Glas des andern Bildes ist mitten durchgesprungen, und niemand denkt daran, es zu ersetzen. Die eine Tochter des Hauses sitzt am Fenster und näht, aber in dem Zimmer, das, ebensogut wie ein Sofa und Fortepiano, doch auch einen Nähtisch haben könnte, fehlt dieser, und auf dem Fensterbrette steht nichts als ein Zigarrenkasten, der als Herberge für Knöpfe und Knäuel, für Lappen und Flicken dient. [...] Einzelnen, für schweres Geld erstandenen Glanz- und Prachtstücken wird die Pflicht des Repräsentierens auferlegt; die Personen aber entschlagen sich desselben. Denn es ist unbequem. Das Ganze, um es noch einmal zu sagen, ein bunter Widerstreit von herrschaftlicher Prätension und bäuerlicher Gewohnheit. [...] Auch Gutem und Tüchtigem bin ich in diesen Dörfern vielfach begegnet; aber zumeist doch jener Tüchtigkeit nur, die aus einem starken Egoismus und dem Instinkte des Vorteils hervorgeht. Die Wurzeln aller Kräfte, die hier tätig sind, sind *Selbstsucht* und *Selbstbewußtsein*. Die Zeit soll noch erst kommen, wo die *hohen* Kräfte des Lebens hier lebendig werden.«

Neben dem Letschiner Kriminalfall sind in die Erzählung auch Eindrücke aus Fontanes Kinderzeit in Swinemünde (1827 bis 1832) eingegangen. 1826 hatte das Schiffer- und Kaufmannsehepaar Mohr aus finanzieller Not oder aus Habsucht eine alte Witwe und ihre Magd ermordet. Zwei Jahre später erlebte Fontane die Hinrichtung des Ehepaares, von der er in seiner Autobiographie »Meine Kinderjahre« (1893) erzählt. Ein weiterer wichtiger Eindruck der Swinemünder Jahre waren die Vorgänge um den polnischen Aufstand von 1830/31, die er mit lebhaftem Interesse verfolgte. Die Handlung von »Unterm Birnbaum« ist gegenüber dem Letschiner Kriminalfall um einige Jahre vorverlegt und damit in zeitliche Nähe zur polnischen Insurrektion gerückt, die in der Erzählung Szulskis und in der Reaktion der Tschechiner einen wirksamen, für die Charakterisierung der Zuhörer wie des Erzählers aussagekräftigen Kontrast zum Leben in Tschechin bildet und zugleich die Ermordung Szulskis in einen größeren Zusammenhang von Mord, Grausamkeit und Verrat stellt.

Auch das Motiv des erschlagenen und verscharrten französischen Soldaten taucht noch an anderer Stelle des Fontaneschen

Werkes auf. Zwei Briefe aus dem Oktober 1873 an seine Schwester Elise befassen sich mit Recherchen zu einem solchen Fall in Dreetz. Im Kapitel »Marquardt von 1803 bis 1833« des dritten Bandes der »Wanderungen« (1872) wird eine Spukgeschichte erzählt, die mit den Motiven des toten Franzosen und des im Keller eingeschlossenen Toten deutliche Parallelen zu »Unterm Birnbaum« aufweist: »Eine rätselvolle Geschichte ereignete sich in jenen Jahren. Französische Chasseurs zechten im Saal; einer stieg in den Keller hinab, um eine Kanne ›frisch vom Faß‹ zu zapfen. Nun trifft es sich, daß das Marquardter Herrenhaus einen doppelten Keller hat, den einen unter dem andern. Wahrscheinlich erlosch das Licht, oder der Trunk schläferte den Chasseur ein, kurzum, er kam nicht wieder herauf; sein Hilferuf verhallte, der Trupp, in halbem Rausche, verließ Schloß und Dorf, und des Franzosen wurde erst wieder gedacht, als es im Hause zu rumoren begann. Nun forschte man nach. An einer dunkelsten Stelle des Kellers lag der Unglückliche, unkenntlich schon, neben ihm ein halb niedergebranntes Licht. Die ›Gräfin‹ gab ihm ein ehrlich Begräbnis; da wurd es still.«

Entstehung

Die Erzählung taucht zum ersten Mal in einem Tagebucheintrag Fontanes vom 27. Februar 1883 unter dem Titel »Fein gesponnen und doch zerronnen« auf. Im November 1883 bahnte sich ein Kontakt mit dem Verlagsbuchhändler Adolf Kröner, dem Herausgeber der Zeitschrift »Die Gartenlaube«, an, und am 10. Juni 1884 schrieb Fontane aus Thale an seine Frau, er habe Kröner vier Novellenstoffe vorgeschlagen. Aus einem Brief an Georg Friedlaender vom 18. August 1884 geht hervor, daß die »Kriminal-Novelle« während Fontanes Sommeraufenthalt in Krummhübel bereits zum Gesprächsstoff im Bekanntenkreis gehörte. Die erste Niederschrift erfolgte im Oktober/November 1884 in Berlin; im Tagebuch heißt es: »Ich beginne Mitte Oktober (um dieselbe Zeit erscheint bei F. W. Steffens in Dresden mein Roman ›Graf Petöfy‹) meine für die ›Gartenlaube‹ bestimmte Novelle: ›Fein Gespinnst, kein Gewinnst‹ zu schreiben und beende sie Ende November im Brouillon.« Seinem Freund, dem Schriftsteller und Kritiker Eduard Engel, kündigte Fontane am 3. Dezember 1884 sein bevorstehendes Debüt in der ›Gartenlaube‹ an: »Denn über ein Kleines, und ich werde selber vor dem ›Gartenlauben-Publikum‹ meine Seilsprünge, vielleicht meinen Salto mortale machen.«

In den Monaten Januar bis April 1885 arbeitete Fontane den ersten Entwurf noch einmal intensiv durch. Der Tagebucheintrag »Vom 22. Februar bis Ende April 1885« hält den Abschluß der Arbeit fest: »In diesen zehn Wochen, die ich, gegen Wintergewohnheit, bei wenigstens leidlicher Gesundheit zubringe, beende ich die Korrektur meiner Novelle: ›Es ist nichts so fein gesponnen‹ und schicke sie am 22. April an die Redaktion der Gartenlaube. Kroener schickt mir umgehend das Honorar und schreibt überaus liebenswürdig und anerkennend. Kleines Labsal.« Verschiedene Briefe an Freunde vermitteln eine Vorstellung von der großen Anstrengung, die ihm Ausarbeitung und Korrektur des Entwurfs abverlangten. So heißt es in einem Brief an Friedlaender vom 24. April 1885: »Vorläufig bin ich von 6monatlicher unausgesetzter Novellenarbeit, immer dieselbe Geschichte, kolossal angegriffen«, und in einem Brief an Engel vom 28. April: »Novellenschreiberei (für die ›Gartenlaube‹) nahm mich ganz in Anspruch und wenn ich die Feder aus der Hand legte, legte ich mich – auch mitten am Tage – erschöpft zu Bett. Nun ist das M.S. in Leipzig und ich selbst bin wieder Mensch [...]«

Während seines Sommeraufenthaltes in Krummhübel las Fontane Korrektur, und im August/September erfolgte der Vorabdruck der Erzählung in der »Gartenlaube« unter dem Titel »Unterm Birnbaum«.

Anfang Oktober erhielt Fontane von Carl Müller-Grote das Angebot, die Erzählung in dessen Verlag zu publizieren. Am 14. November 1885 erschien die Buchausgabe – mit veränderter Kapiteleinteilung und einigen Korrekturen gegenüber dem Vorabdruck – als »Band 23 der Groteschen Sammlung von Werken zeitgenössischer Schriftsteller«. Was den Verkaufserfolg betraf, war Fontane äußerst skeptisch. Gegenüber seinem Sohn Friedrich bekannte er am 11. Dezember: »Mittheilungen über den Grote'schen Verlag und seine Weihnachtsnovitäten. Ich fürchte nur, daß sich das alte Lied wiederholen und *alles* gehen wird, nur meine Novelle nicht. Ich muß mich drin finden; Gott hat mir ein Talent gegeben, dafür muß ich dankbar sein, Erfolg hat er mir *nicht* gegeben und darüber darf ich nicht murren. Jedem fehlt etwas und mir nun grade *das*. Ich bin verständig genug, es nicht für eine Hauptsache zu halten; vieles andre ist wichtiger.«

Am 23. Dezember 1885 erschien in der »Vossischen Zeitung« eine Rezension von Ludwig Pietsch, die dem Charakter der Erzählung als Kriminalgeschichte Rechnung trägt, aber auch die Feinheiten der Erzähltechnik deutlich hervorhebt: »Die Mord- und Kriminalgeschichte bildet den Kern der Erzählung. Aber es ist nicht nur das Unheimliche, das Grausen der Tat und das Interesse an dem ferneren Schicksal der Täter, was den Leser der Novelle so gefesselt und gebannt hält, daß er das Buch nicht aus der Hand zu legen vermag, bis er zur letzten Seite gelangt ist. Die bewundernswerte Kunst des Erzählens, aber nicht zum wenigsten auch die des Verschweigens bildet wohl mehr noch die Ursache dieser Wirkung. Dazu kommt die unübertreffliche Zeichnung der märkisch-bäuerlichen Figuren, die echt oderbruch-dörfliche Lokalfarbe, die vollendete Malerei von Wetter-, Jahres- und Tageszeitstimmungen, die plastische Klarheit und Anschaulichkeit in den Ortsschilderungen, Gestalten wie die alte Jeschke, der Gensdarm Geelhaar, der Hausknecht Ede, der brave Prediger Eccelius, die Bauern und der Müller des Dorfes, der unglückliche Reisende für Olszewski und Goldschmidt in Warschau [!] – das sind mit verhältnismäßig wenigen Meisterstrichen entworfene Menschenwesen von einer Lebensfülle, einer persönlichen Bestimmtheit und Überzeugungskraft, wie sie auch Menzel, Turgenjew und Fritz Reuter den von ihnen gezeichneten nicht in höherem Maße verliehen haben. Um zur vollen Erkenntnis und Würdigung der Komposition dieser Erzählung zu gelangen, lese man sie sofort noch ein zweites Mal. Dann erst wird man sich der ganzen Feinheit der Motivierung, des Aufbaus der Handlung, der Schürzung aller Fäden bewußt und genießt ganz die Arbeit des Künstlers, den man beim ersten Lesen – gepackt und beherrscht von der Gewalt des stofflichen Interesses – über seiner Schöpfung fast vergaß.« Fontane dankte Pietsch am selben Tag für die »beschämend freundliche Besprechung«, die ihn besonders erfreut habe: »Alles Lob schmeckt und geht einem glatt 'runter, aber neben diesem süßen Alltags-Lob gibt es doch noch ein Festtags-Lob, das einen erquickt, stärkt, erhebt. Kein Zucker, sondern Wein. Sie haben Menzel und Turgenjew genannt und zu Beiden blick ich als zu meinen Meistern auf.«

Das Interesse an der Buchausgabe von »Unterm Birnbaum«

war, wie Fontane es vorausgesehen hatte, gering, nur einige hundert Exemplare wurden verkauft. Im Tagebucheintrag »Vom 18. November bis 31. Dezember 1885» notierte er sarkastisch: »Die Novelle ›Unterm Birnbaum‹ erscheint bei Müller-Grote und macht selbstverständlich gar keinen Eindruck. [...] Dagegen erscheinen bei Müller-Grote: *Märchen* von Frau Anna Lindau, geradezu entsetzlich, Verhöhnung von Sitte und Geschmack, woraufhin dieselben ›Weihnachtsbuch‹ werden und gut gehen. Wohl bekomm's!«

Unserem Text liegt die erste Buchausgabe zugrunde.

Christine Hehle